Das Buch

Florian Singer ist Berufssoldat. Nach einigen geheimen Einsätzen kehrt er aus Afghanistan zu seiner Familie nach Deutschland zurück, traumatisiert und zutiefst erschüttert. Plötzlich verschwindet er. Und einige Morde geschehen.

Seine Frau, Sarah Singer, bittet den Privatermittler Georg Dengler, ihren Mann zu suchen. »Mein Mann ist krank«, sagt sie, »und gefährlich.« Dengler macht sich – fasziniert von der schönen blonden Frau – auf die Suche, die ihn schließlich nicht nur zwischen die Fronten mächtiger Interessen führt, sondern auch in die eigene Vergangenheit. Ein Drama seiner Kindheit scheint sich zu wiederholen.

Und plötzlich steht er gefährlichen Gegnern im Weg.

Der Autor

Wolfgang Schorlau lebt und arbeitet als freier Autor in Stuttgart. 2006 wurde er mit dem Deutschen Krimipreis ausgezeichnet.

Weitere Titel bei Kiepenheuer & Witsch

»Die blaue Liste. Denglers erster Fall«, 2003, KiWi 870, 2005.
»Sommer am Bosporus. Ein Istanbul-Roman«, KiWi 844, 2005.
»Das dunkle Schweigen. Denglers zweiter Fall«, KiWi 918, 2005.
»Fremde Wasser. Denglers dritter Fall«, KiWi 964, 2006

D1372183

Wolfgang Schorlau

BRENNENDE KÄLTE
Denglers
vierter Fall

Kiepenheuer & Witsch

Informationen zu diesem Buch:
www.schorlau.com

Verlag Kiepenheuer & Witsch, FSC®-N001512

12. Auflage 2012

Umschlaggestaltung: Barbara Thoben, Köln,
nach einer Idee von Philipp Starke, Hamburg
Umschlagmotiv: © plainpicture / Tranquillium,
aus der plainpicture Kollektion Rauschen
Gesetzt aus der Dante regular und der Formata
Satz: Pinkuin Satz und Datentechnik, Berlin
Druck und Bindung: CPI – Clausen & Bosse, Leck
ISBN 978-3-462-03982-5

Meinem Bruder gewidmet

*»In der Erinnerung eines jeden Menschen gibt es Dinge,
die er nicht allen mitteilt, sondern höchstens seinen
Freunden. Aber es gibt auch Dinge, die er nicht
einmal den Freunden gesteht, sondern nur sich selbst,
und auch das nur unter dem Siegel der Verschwiegenheit.
Schließlich aber gibt es auch noch Dinge, die der Mensch
sogar sich selbst zu sagen fürchtet, und solcher
Dinge sammelt sich bei jedem anständigen Menschen
eine ganz beträchtliche Menge an.«*

Fjodor Dostojewski,
Aufzeichnungen aus dem Untergrund

*»Die Sicherheit Deutschlands wird auch
am Hindukusch verteidigt.«*

Peter Struck (SPD),
Ex-Verteidigungsminister

Zweiter Teil

Dritter Teil

Prolog

Welche Farbe hat das Paradies? In seiner Erinnerung war es erdbraun und gelb und moosgrün. Es roch nach warmem Waldboden, nach Fichtennadeln und Tannenzapfen.

Nur wenige Meter oberhalb des alten Forstwegs lag ihr Versteck. In der Mitte eine riesige, über hundert Jahre alte Blautanne, umringt von einer Gruppe Fichten, die in einem respektvollen Radius von vier Metern wuchsen, gerade so, als wollten sie den ehrwürdigen Stamm vor fremden Blicken schützen. Und so umgab den großen Baum eine halbdunkle Höhle, die, so glaubten die beiden Jungs damals, ihr alleiniges Geheimnis sei.

Oft versteckte er sich allein in der Höhle. Die spätsommerliche Sonne wärmte seinen Rücken und ließ die am Boden liegenden Äste knacken. Manchmal saß er stundenlang in diesem Versteck und tat nichts. Saß einfach da und fühlte sich geborgen. Geborgen und sorglos. So ist es also, das Glück, dachte er damals. So ist es, keine Angst zu haben. Nicht vor den Geräuschen des Waldes und nicht vor den Menschen. Er schloss die Augen, fest, ganz fest, kniff die Lider zusammen und nahm sich vor, dieses Gefühl nie wieder zu vergessen. Es hing mit dem Geruch der Erde zusammen, der Wärme und wohl auch damit, dass er allein in diesem winzigen Paradies saß und sich ganz auf sich konzentrieren konnte. Nie, nie, nie, sagte er leise voll kindlicher Inbrunst, nie werde ich diesen Moment vergessen.

Und nun, mehr als drei Jahrzehnte später, hockte er in seinem blauen Toyota und starrte hinüber zum Eingang des Supermarktes. Um halb zehn Uhr abends. Draußen war es endlich finster. Der Sommerregen hatte ausgedehnte Pfützen auf dem Parkplatz hinterlassen, in denen sich das Licht der Reklame und des riesigen Schaufensters spiegelte. Seit einer Stunde saß er im Wagen und zählte die Kunden, die so spät noch schattengleich durch die Eingangstür huschten. Achtzehn zählte er. Achtzehn Kunden. An der Kasse würde keine lange Schlange stehen. Wenig Personal, dachte er, so spät am Abend. Er konnte es wagen. Verdammt noch mal, er konnte es wirklich wagen.

Und ich werde es schaffen.

Trotzdem blieb er sitzen. Vom Bauch her kroch eine unbestimmte Angst nach oben, nistete sich in seinem Solarplexus ein, seiner Angststelle, wie er sie nannte. Er spürte den Druck deutlich, wie er wuchs, nicht so stark wie damals, natürlich nicht, aber doch so, dass ihm das Atmen schwerer fiel.

Und, merkwürdig, genau in diesem Augenblick dachte er an das Versteck am alten Forstweg. Er fuhr sich mit der Hand durchs Gesicht, aber das Bild blieb. Er kniff die Augen zusammen, wie er es damals getan hatte, und er erinnerte sich genau an den Forstweg, der bergauf ging, an der Hütte vorbei, die die Verbindungsstudenten im Winter als Quartier für ihre Skiausflüge nutzten, dann kam das Haus mit dem kleinen Turm, das früher einmal eine Pelztierzucht gewesen war, und dahinter schließlich bog der alte Forstweg in den Wald ein. Nach fünfzig Metern schlug man sich rechts durch die jungen Fichten und war dann gleich an dem Versteck. Er erinnerte sich an den kleinen Jungen, der er einmal gewesen war, daran, wie er sich fest vorgenommen hatte, diesen Augenblick nie wieder zu vergessen. Nur das Gefühl, das ihn damals überwältigt hatte, das konnte er nicht mehr in sich wachrufen. Er hatte es verloren.

Aber all das durfte jetzt keine Rolle spielen.

Action Jackson, sagte eine innere Stimme. So hatte es der kleine verrückte Texaner vor jedem Einsatz gesagt. *Action Jackson.* Und dann war es losgegangen. Jetzt war Jackson tot.

Mit einem Griff löste er den Sicherheitsgurt, öffnete die Autotür, stieg aus. Er schloss nicht ab. Es widerstrebte ihm, den

Wagen offen zu lassen, fast machte es ihn wütend, aber es musste sein. Dann ging er langsam und steif auf die Tür des Supermarktes zu. Der Druck in seinem Bauch wuchs.

Drinnen nahm er sich einen dieser metallenen Einkaufswagen, für den er ein Eurostück in eine Box stecken musste, die am Haltegriff angeschweißt war. Erst dann löste sich der Wagen von den anderen. Er zog ihn am Haltegriff aus der Reihe und schob ihn langsam durch die Abteilung mit dem Frischgemüse, dann in die erste Regalreihe.

Kein Mensch zu sehen.

In dem Regal lagen Salzstangen, Nüsse, Käsegebäck und Kekse.

Vorsichtig nahm er eine Tüte mit Kartoffelchips aus dem untersten Regal. Der Plastikbeutel knisterte so laut, als er ihn in den Wagen warf, dass er sich umsah. Niemand schien etwas gehört zu haben.

Jetzt war er ganz wach.

Adrenalin schoss durch seinen Körper. Er kannte das. Das Gefühl, hellwach zu sein, genau zu sehen, alles zu hören.

Nichts blieb einem verborgen.

Entschlossen schob er den Wagen durch den Gang mit den Konserven. Mein Gott, hatte er die Konserven gehasst. Jeden Tag. Ravioli, Leberwurst, Pumpernickel, Erbsensuppe.

Konservenfraß hatten sie bekommen. Jeden Tag Konservenfraß.

Er schob den Wagen schneller. Italienische Nudeln. Barilla, Spaghetti, Makkaroni, Tagliatelle, Fusilli. Dann ein Regal mit Gewürzen, Pfeffer schwarz, Pfeffer weiß, Curry, Rosmarin, Thymian. Schließlich die erste Kühltheke: Milch, Südmilch, Bergbauernmilch, Sahne, Crème fraîche.

Er schnappte einen Karton Vollmilch aus dem Regal und warf ihn in den Wagen. Der Karton platzte am Kopfende. Ein Tropfen Milch platschte auf den Boden. Dann noch einer.

Er wendete den Wagen.

Platsch.

Jetzt schnell zur Kasse.

Platsch.

Noch ein Tropfen Milch.

Vorbei an Mehl, Gebäckmischungen, Fleischtheke, Käsetheke.

Ein Mann stand vor den Spirituosen, eine Flasche Fernet in der Hand. Studierte das Etikett.

Er rempelte ihn mit dem Wagen an.

Der Mann fluchte.

Er fuhr weiter. Rechts der Eingang zum Getränkemarkt.

Da waren die Kassen.

Endlich.

Eine war besetzt.

Nur zwei Kunden standen davor.

Erleichterung.

Das schaffte er.

Da war er sich sicher.

Das schaffte er.

Plötzlich blieb er stehen.

Das Geräusch. Was war das für ein Geräusch? Rotierend. Schleifend. Mahlend. Er kannte das. An was erinnerte ihn das Geräusch?

Es kam aus dem Getränkemarkt.

Er riss heftig am Wagen. Der Karton mit der Milch machte einen Sprung.

Tropfte.

Im Getränkemarkt sah er den Mann. Er saß auf einer kleinen Maschine, die wie ein umgebauter Rasenmäher aussah. Zwischen den Rädern drehte sich eine große Scheibe.

Sie bohnern hier nur den Boden, sagte die Vernunft, es ist bloß die Polierscheibe. Es ist nur ein Reinigungsgerät.

Sie bohnern nur.

Gleich ist nämlich Feierabend, hörst du, sagte die Vernunft, und sie bohnern. Mehr nicht.

Die Scheibe drehte sich.

Sie rotierte.

Rotierte.

Wie die großen Tandemrotoren eines MH-47-Chinook-Helikopters.

Er konnte den Hubschrauber hören.

Er sah die Rotoren.

Wie damals.

Es war tatsächlich ein Chinook. Sie rannten geduckt auf die geöffnete Eingangstür zu, sprangen hinein, alle Mann hintereinander, Gerald verrammelte die Tür, die Kiste legte sich zur Seite und hob ab. Gewann Höhe. Über ihm die Rotoren. Er sah die Polierscheibe. Über sich die Rotoren. Der kleine Texaner kotzte zuerst. Action Jackson. Immer kotzten die Amis vor dem Einsatz. Platsch, die Milch tropfte. Platsch, noch einmal. Der Texaner kotzte. Der Helikopter stieg. Action Jackson. Auch ihm selbst war schlecht.

Die Vernunft sagte, dass er noch eine Chance hatte: Wenn du sofort gehst.

Lass den Einkaufswagen stehen, sagte die Vernunft, geh einfach raus. An der Kasse vorbei und auf die Straße. Steig in den Toyota und fahr nach Hause. Das war's dann, sagte die Vernunft.

Aber erst mussten sie raus. Sie flogen wieder ins verfickte Shah-e-Kot-Tal. Ewig lang war das Tal. Operation Anaconda. Gestern hatte man ihnen Schulbücher gezeigt. In dieser beschissenen Sprache. Mit diesen beschissenen arabischen Zeichen. Es verschwamm vor seinen Augen. Dieser Abschnitt lehrt arabische Grammatik, hatte man ihnen gesagt. Und dieser andere lehrt: Wie man eine Rohrbombe baut. Und der nächste: Wie man einen Militärkonvoi überfällt. Wie man Amerikaner killt. Und Europäer. Das lernen hier die Kinder. Elfjährige sind genauso gefährlich wie ihre Väter. Deshalb die Tageslosung: Tötet jeden, den ihr seht. Der Helikopter ging tiefer. Fertig machen zum Absitzen. Action Jackson. Er hatte jetzt Angst. Sie knetete seinen Mageneingang mit knöchernen Fingern. Seine Hände verkrampften sich um den Griff des Einkaufswagens. Dann mussten sie raus. Er sprang. Er wendete den Einkaufswagen. Gelände sichern. Er sprang nach links. Die Waffe im Anschlag. Ein Hindernis. Er trat dagegen. Er rammte den Einkaufswagen dagegen. Stand in einem Regen von Rasierschaum, Haargel, Shampoo. Es regnete auf ihn herunter. Geschosse schlugen rechts und links ein. Vor ihm ein Gesicht. Ein erstauntes Gesicht. Ein Gesicht mit Brille. Ein schreiendes Gesicht. Er hob die Waffe. Feuerstoß. Action Jackson. Noch jemand tauchte neben ihm auf. Er schlug zu. Auf die Nase. Ah, das knirscht. Dem ist das Nasenbein ins Gehirn gefahren. Wird er nicht überleben. Gelernt ist gelernt. Ein Regal fiel um. Dosen trafen seinen Kopf. Erbsen, dachte er verwundert. Dann traf ihn noch etwas am Kopf. Er hatte so schreckliche Angst. Inmitten einer verheerenden Verwüstung ging er zu Boden.

Erster Teil

Stuttgart, das Ödland

»Großartig«, sagte Nolte.

Mit einer ausholenden Armbewegung deutete er auf ein gelbbraunes Ödland, das vor ihnen lag wie ein schmutziges Meer. Der Sommerregen hatte auf dem Gelände mehrere Lachen in der Größe von Dorfweihern hinterlassen, die dunkel in der Sonne glänzten. Zwischen zerplatzten Bodenplatten kämpfte sich hellgrünes Unkraut erbittert durch bereits Verrottendes ans Licht. In der Ferne zog ein ICE vorbei, klein wie eine Modelleisenbahn. Das geordnete Chaos eines vielgleisigen Schienennetzes sah man dahinter und dann den Bahnhof. Rechts wurde der Blick von misslungener Architektur eingerahmt, einem Ensemble aus grauen, riesenhaft fabrikartigen Gebäuden, in denen zwei Banken untergebracht waren.

Sie standen am Rand einer Schnellstraße und schauten hinunter auf das Gelände.

»Großartig«, sagte Nolte. »Beste Lage. Mitten in der Stadt.«

Er zeigte auf das riesige Brachland.

»Drei Milliarden werden hier in den nächsten zehn Jahren vergraben. Milliarden, nicht Millionen.«

»Und da wird auch für uns einiges zu holen sein«, sagte er.

Und grinste.

Die Stadt war unter die Räuber gefallen. Eine große Koalition von Politikern hatte das Zentrum endgültig einer Bande von Immobilien- und Finanzhaien zum Fraß vorgeworfen. Sie planten, den Bahnhof der Stadt unter die Erde zu verlegen, um in dem oberirdisch gewonnenen Territorium einen neuen Stadtteil zu bauen. Vor allem Büros. Der historische Kopfbahnhof würde einem unterirdischen Durchgangsbahnhof weichen, und in Zukunft würden die Fahrgäste unter der Erde in die Züge ein- und aussteigen. Von den jetzt noch vorhandenen sechzehn Gleisen würden dann nur noch acht übrig bleiben, und damit würde das Warten auf verspätete Züge vorbei sein. Die Stadt würde zwölf Jahre lang die größte Baustelle Europas sein, und das Leben in Stuttgart würde unerträglich werden.

»Wir müssen zusehen, dass wir unser Stück vom Kuchen abbekommen«, sagte Richard Nolte, der Eigentümer von *Security Services Nolte & Partners*, der größten Stuttgarter Detektei.

Er klopfte Dengler auf die Schulter und schob ihn in die Mercedeslimousine zurück, die am Straßenrand wartete. In dem Wagen roch es nach frischem Leder. Der Boden sah aus, als habe eben erst jemand mit dem Staubsauger die Fußmatten gereinigt. Kein Staubfaden zu sehen.

Eine halbe Stunde später saßen sie in Noltes Büro. Eine Sekretärin stellte italienisches Mineralwasser, Kaffee und einige belegte Laugenbrötchen auf den Tisch. Dann zog sie sich zurück.

Alles an Nolte war perfekt. Sein Anzug war perfekt, sein Auto war perfekt, sein Büro war perfekt, seine Sekretärin, eine selten anzutreffende Kombination von Eleganz und Tüchtigkeit, war perfekt. Der Kaffee war perfekt, und sogar die Laugenbrötchen – frisch und perfekt. Die Art des Mannes zu sprechen, dieses überdeutliche Honoratioren-Schwäbisch, diese vollkommene Höflichkeit mit dem richtig dosierten Schuss Vertraulichkeit – perfekt. Georg Dengler hasste alles, was so vollkommen war. Viel zu oft hatte er erfahren müssen, dass alles Makellose nur Fassade war, und mehr noch: Seine Lebenserfahrung sagte ihm, dass die Abgründe, das Giftige, das Verbrechen umso gefährlicher waren, je fehlerfreier die Fassaden davor gemauert waren. Dengler hatte Perfektion noch nie gemocht. Und er mochte diesen Mann nicht.

»Wir brauchen in einer prekären Sache Ihre Hilfe«, sagte Nolte und führte elegant ein Lachsbrötchen an den Mund.

»Sie haben ja beste Referenzen«, sagte er.

Dengler runzelte die Stirn. Von welchen Referenzen sprach der Mann? Er hatte früher einmal für Nolte gearbeitet. Aber das war einige Jahre her.

»Sie sind genau der Mann, den wir brauchen.«

Dengler hoffte, Nolte würde nun langsam zur Sache kommen. Seit drei Stunden führte er ihn schon durch die Stadt, und Dengler wusste immer noch nicht, was er von ihm wollte.

»Es gibt da gewisse Probleme. Sie wissen das vielleicht.«

»Ich habe keine Ahnung.«

»Nichts gehört von diesen …?«

»Von was?«

»Tja.« Nolte sprang auf. In vier Schritten stand er am Fenster.

»Es gibt da gewisse Leute, die machen uns Probleme.«

»Konkurrenz?«

»Quatsch, bei dem Projekt sind wir doch alle in einem Boot.«

Er grinste dreckig. Wie im Film. Selbst wenn er den Gangster gab, gab er ihn perfekt.

»Allerdings gibt es in der Stadt eine Gruppe von Leuten, die das Projekt ablehnen.«

Dengler kannte niemanden in der Stadt, der das Projekt unterstützte. Es hatte sich eine Bürgerinitiative gebildet, die einen Bürgerentscheid über das Projekt forderte. Martin Klein, Georg Denglers Freund und Nachbar, hatte sich der Initiative angeschlossen. Auch Dengler hatte unterschrieben, Klein hatte ihm noch gestern Abend erzählt, dass die Bürger eine Abstimmung gegen die Baupläne erzwingen könnten. Die Aussichten dafür seien gut.

Daher wehte also der Wind.

»Was kann ich für Sie tun?«, fragte Dengler vorsichtig.

»Wir brauchen einen guten Ermittler, einen guten privaten Ermittler«, sagte der Mann. »Die PR-Kampagne der Betreiber ist auf Jahre geplant. Wir wollen die Baustelle als Ereignis verkaufen. Schauplatz statt Bauplatz und so weiter. Aber wir wissen nicht, was diese Leute vorhaben. Sie wollen unsere Kampagne unterlaufen, aber wir wissen nicht, wie.«

Er drehte sich vom Fenster weg und sah Dengler an.

»Wir zahlen Spitzenhonorare«, sagte er, als er Denglers skeptisches Gesicht sah.

»Vielleicht haben Sie hinterher ausgesorgt – zumindest für eine Weile.«

Ausgesorgt – das klang wie ein Zauberwort in Denglers Ohren. Er wäre froh, wenn er seine Geldsorgen los wäre.

»Sie wollen, dass ich die Bürgerinitiativen ausspioniere?«, hörte er sich sagen.

»Ausspionieren? Herr Dengler, das ist kein gutes Wort für den Auftrag, den wir Ihnen geben wollen.«

Er schüttelte besorgt den Kopf und ging hinter seinen Schreibtisch zurück.

»Waffengleichheit. Informationsgleichstand. Darum geht's. Wir müssen nur wissen, was diese Brüder planen. Zeitnah müssen wir das wissen. Wir müssen gewappnet sein. Die Polizei einsetzen, einstweilige Verfügungen erwirken. Aber ohne Informationen … Ich meine, wie soll das gehen?«

Dengler erhob sich.

»Ich denke darüber nach. Ich rufe Sie an.«

Er verabschiedete sich mit einem kurzen Nicken.

Lasse ich mich vor den Karren dieser Leute spannen, fragte er sich. Doch als er unten auf der Königstraße stand, kamen ihm Zweifel, ob er sich eben klug verhalten hatte. Vielleicht war er zu schroff gewesen. Ausgesorgt war ein interessantes Wort. Ein sehr interessantes Wort. Es meinte: keine Sorgen mehr haben. Leicht sein. Frei sein. Und so hatte er sich schon lange nicht mehr gefühlt.

Es war spät geworden. Langsam überquerte er den Schlossplatz und ging zurück in sein Büro. Er war müde.

Albtraum

Ich bin tot, dachte Georg Dengler.

Wie ein herrenloses Schiff trieb er zwischen Traum und Wirklichkeit, und selbst jetzt, da er darüber nachdachte, ob er noch träume, verwarf er diesen Gedanken sofort wieder. Nein, das, was er durchlebt hatte, war bekannt und real. Eben war er gestorben.

Also bin ich tot.

Merkwürdigerweise löste dieser Gedanke keinen Schrecken in ihm aus. Er löste gar nichts aus. Ich bin tot – das war eine leidenschaftslose, eine sachliche Feststellung. Nicht weiter tragisch.

Er sah sich nach der Fledermaus um, die ihn begleitet hatte. Er fand sie nicht. Aber er erinnerte sich an den Tunnel, durch den er gelaufen war. In völliger Dunkelheit. Er hatte gespürt, wie das Wasser stieg, und da war er umgekehrt. Das Wasser stieg, erst bis zu den Knöcheln, dann zu den Waden, dann zu den Knien. Er war schneller gelaufen. Schließlich gerannt, so gut er es im Wasser konnte. Aber das Wasser stieg weiter. Als es seinen Bauch erreicht hatte, merkte er, dass er nicht vom Fleck kam. Er rannte, aber er bewegte sich nicht. Und das Wasser stieg ihm über die Brust bis zum Kinn. Er schrie, und endlich sah er das Licht am Ende des Tunnels. Da bemerkte er den feinen Maschendraht, der im Tunnel gespannt war. Er würde es nicht schaffen. Das Wasser stieg weiter und schwappte über seinen Mund. Er schluckte. Es kroch in die Nase. Stieg über die Augen. Dann war er völlig unter Wasser. Er riss an dem Maschendraht, aber der gab nicht nach. Nicht einen Millimeter. Er schrie, er strampelte. Das Licht wurde tausendfach vom Wasser gebrochen.

Und nun bin ich tot, dachte er.

Tot bei lebendigem Leib.

Mit unendlicher Anstrengung wand er sich aus den Fängen des Albtraumes und schlug die Augen auf.

Er fühlte keine Freude über die Rettung.

Georg Dengler lag auf dem Rücken. Die Hände auf der Brust verschränkt. Sein Haaransatz war nass vom Schweiß, als wäre er eben tatsächlich in der schwarzen Röhre ertrunken.

Natürlich kannte er diesen Traum. Er hatte ihm Kindheit und Jugend zur Hölle gemacht. Aber lange schon hatte er ihn nicht mehr geträumt. So lange, dass er bereits gedacht hatte, er könne ihn für immer vergessen. Sein Blick wanderte die Decke entlang. Dann wandte er langsam den Kopf nach rechts und fixierte den kleinen schwarzen Punkt neben der Nachttischlampe und fragte sich, ob das eine Mücke war. Auf dem kleinen Podest an der Wand stand die Marienstatue aus Kirschholz. Früher hatte ihr Mantel tiefblauen Lack getragen. Es sah aus, als sei die Maria aus Lapislazuli. Doch die Zeit hatte vieles verbleichen lassen. Nicht nur den Mantel der Mutter Gottes.

Es war bereits halb acht.

Er hatte keine Lust auf die allmorgendlichen Liegestütze.

Als er noch beim Bundeskriminalamt war, stand er jeden morgen um sechs auf. Falsch, dachte er, ich *sprang* aus dem Bett, spätestens um halb sieben.

Dann Liegestütze. Hundert, wenn es sein musste.

Aber er war kein Polizist mehr.

Und er hatte keine Lust auf Liegestütze.

Wie lange das alles her war? Gerade mal drei, vier Jahre, und trotzdem kam es ihm vor, als sei das alles in einem anderen Leben gewesen.

Ich bin ein Mann in den mittleren Jahren, kam ihm plötzlich in den Sinn.

Warum denke ich nicht: Ich bin ein Mann in den besten Jahren? In den mittleren Jahren, das klingt nach Kurz-vorm-Altwerden, nach: Von nun an geht's bergab.

Ich bin ein Mann in den besten Jahren, dachte er, aber dieser Gedanke hob seine Stimmung auch nicht.

Ich bin ein ehemaliger Polizist. Aber auch das rief kein Echo in ihm hervor.

Ich war ein erfolgreicher Zielfahnder.

Lange her.

Kein Echo.

Nur Stille.

Er dachte an seine Zeit als Polizist, aber es war, als erinnere er sich dabei an das Leben eines anderen, eines Fremden, den er gekannt hatte, dessen Geschick ihn aber nun nichts mehr anging.

Mein früheres Leben ist mir fremd geworden.

Ich muss meine Mutter anrufen, schoss es ihm durch den Kopf.

Sie würde ihm Vorwürfe machen, weil er sich seit drei Wochen nicht mehr gemeldet hatte. Noch immer hatte er ihr nicht gesagt, dass er den Job beim BKA gekündigt hatte und nun privater Ermittler war.

Ich bin ein Mann in den mittleren Jahren, mit Albträumen, der beim Aufwachen an seine Mutter denkt.

Keine erfreuliche Vorstellung. Dann doch lieber Liegestütze.

Er warf die Decke zurück, stieg aus dem Bett, legte sich bäuchlings auf den Baumwollläufer und stemmte sich mit beiden Armen in die Höhe.

Im besten Alter

Vierzig Minuten später zog er die Wohnungstür hinter sich zu und klingelte an Olgas Tür. Das tat er immer, obwohl Olga ihm einen Schlüssel zu ihrer Wohnung gegeben hatte. Auch sie besaß einen Schlüssel zu seiner Wohnung, den sie nur selten benutzte. Sie klopfte stets an, wenn sie zu ihm hinunterkam. Wenn einer von ihnen verreist war, ging der andere nicht in dessen Wohnung. Sie hatten das nie so abgesprochen, aber es hatte sich so ergeben.

Georg und Olga wohnten im Stuttgarter Bohnenviertel über dem *Basta*, einem beliebten Restaurant mit Bar, abgelegen, aber doch im Zentrum der Stadt. Als sie ein Paar wurden, hatten beide ihre Wohnungen behalten, Olga ihre im Dachgeschoss und Georg Dengler seine einen Stock tiefer. Erstaunlicherweise hatten sie noch nie darüber gesprochen, ihre beiden Wohnungen gegen eine gemeinsame, vielleicht größere einzutauschen. Es wurde zur Gewohnheit, dass Georg Dengler deutlich öfter bei Olga schlief als sie bei ihm. Häufig aber übernachtete er alleine in seiner Wohnung, wenn er länger arbeitete, las oder einfach allein sein wollte. Das große, zwei mal zwei Meter breite Bett mit dem schwarzen Metallrahmen, das er sich gekauft hatte, war die einzige Anschaffung, die sich direkt aus ihrer Verbindung ergab. Sonst blieb alles so, wie es war. Seine Bücher, CDs und Bilder blieben weiter in seiner Wohnung im ersten Stock, und sogar seine Zahnbürste brachte Georg jedes Mal mit, wenn er über Nacht bei Olga blieb.

Wenn Georg über Olga und sich nachdachte, fiel ihm auf, dass er kein zufriedenstellendes, kein treffendes Wort für ihre Verbindung fand. *Beziehung* lehnte er ab, da dieser Begriff nach seinem Geschmack eher zu Paaren passte, die langjährig, unverheiratet, aber bereits sexlos zusammenlebten.

Affäre war viel zu wenig. *Freundschaft* war bei ihm reserviert für gleichgeschlechtliche Freundschaften, Freundschaft war für ihn immer Männerfreundschaft. Und es war auch mehr als reine Freundschaft. Denn, keine Frage, er liebte sie.

Olga lachte, wenn er wieder einmal nach einem Begriff für sie beide suchte. Ihr war es völlig gleichgültig, ob er einen Begriff fand oder nicht, aber für Georg hatte diese Namenlosigkeit etwas Beunruhigendes, etwas, was ihn antrieb und immer wieder beschäftigte, als gäbe das treffende Wort ihnen eine Art höhere Weihe, gewissermaßen das Sakrament, das einen Makel oder etwas Unvollkommenes beseitigen könne.

Und noch etwas anderes beschäftigte ihn. Aber darüber sprach er nicht. Nicht mit ihr. Und auch nicht mit seinen Freunden. Er gestand es sich selbst kaum ein.

Seit drei Jahren, seit seinem zweiten Fall, waren Olga und er ein Paar. Ein glückliches Paar, dachte er. Und doch ... Es gab da einen Schatten, den er meist übersah, von dem er aber spürte, dass er wuchs.

Ihre Nächte waren von inniglicher Intimität. Meist schlief Olga auf der linken Seite, und Dengler robbte an sie heran und umschlang sie mit den Armen, schmiegte seinen Bauch an ihren Rücken und seine Beine an die ihren. Wenn er sich nachts umdrehte, kroch sie ihm schlafend nach und wand sich um ihn. Immer noch schlafend, legte sie ihre Arme um ihn, und nun war sie es, die sich zärtlich an ihn drückte. Diese Augenblicke ihrer verschlafenen Verschmelzung verzückten Dengler.

Er entwarf eine Typologie ihrer Wärme. Es gab da ihre Alltagswärme, in die er eintauchte, wenn sie auf ihrer Couch lagen und gemeinsam sonntagabends den *Tatort* sahen. Manchmal brachte er, nur um sie ein wenig zu ärgern, fachliche Einwände vor. Dieser Mordfall würde eine Sonderkommission erfordern – und die beiden Kommissare lösen das ganz alleine, sagte er dann, oder: Kein Polizist würde ständig seine Familienprobleme mit in das Kommissariat schleppen und dort diskutieren. Das hat bei der Polizeiarbeit draußen zu bleiben. Er hasste es auch, wenn die Fernsehkommissare ihre Waffen erst unmittelbar vor dem Einsatz durchluden. Alles nur Show, sagte er dann zu Olga, kein echter Polizist würde mit nicht durchgeladener Waffe in einen gefährlichen Einsatz gehen. Sie hielt ihm dann den Mund zu, denn sie wollte der Geschichte folgen. Nach der Hälfte des Films wusste sie meist schon, wer der Täter war. Dengler war es ein Rätsel, wie sie das herausfand. Mit seinen Tipps lag er meist völlig verkehrt. Er versuchte, sie zu küssen, doch sie schob sein Gesicht weg und wandte sich wieder dem Film zu. Er lachte und war glücklich.

Und doch …

In den ersten beiden Jahren hatten sie andere Nächte gefeiert. Wie ein Besessener befühlte, betastete, küsste er jeden Quadratzentimeter ihres Körpers, griff mal fest, mal zärtlich in ihr Fleisch, untersuchte rasend vor Begierde ihren Leib. Manchmal kam es ihm vor, als sei ihr beider Fleisch flüssig, von der gleichen Substanz zwar, aber von anderer Farbe, und wenn sie sich mischten, umeinander und ineinander, schufen sie ganz neue, nie erlebte Kompositionen. Sie liebten sich oft ganze Tage und Nächte, trieben es im Freien und an Orten, die sie sich später nur kichernd wieder ins Gedächtnis rufen konnten.

Und nun?

Nun war es anders, und er wusste nicht, ob es besser war. Aber warum wurde es anders? Lag es an ihm?

Weil er alt war?

Weil er in den mittleren Jahren war?

Wohin ist dein Begehren verschwunden?

In irgendeiner Zeitung hatte er einmal gelesen, dass die Manneskraft mit Mitte vierzig deutlich nachließe.

Ich bin ein Mann im besten Alter.

Trotzdem. Eine Welle voll Wärme erfasste ihn. Er wollte

Olga sehen. Jetzt gleich.

Und er wollte sie nicht verlieren. Nie wieder.

Daran dachte Georg Dengler, als er vor ihrer Tür stand und klingelte.

Sie fehlte ihm.

Er klingelte gerade erneut, als sie die Tür öffnete.

»Sehnsucht?«

»Hunger.«

Er sah sie an.

»Sehnsucht und Hunger«, korrigierte er sich und küsste sie.

Später saßen sie ein paar Häuser weiter im *Bistro Brenner*. Georg Dengler bestellte Weißwürste für beide.

»Ich werde für einige Tage ins Ausland verreisen«, sagte Olga nach einer Weile.

Mit wem? – Nur eine Zehntelsekunde erlaubte er sich diesen Gedanken. Doch er schien ihm ins Gesicht geschrieben zu sein, denn sie legte ihre Hand auf die seine.

»Du – du musst das nicht tun«, sagte Dengler leise, »ich verdiene gerade ganz gut. Ich …«

Er stockte. Darüber hatten sie oft genug gesprochen.

Wenn er wirklich *ausgesorgt* hätte, müsste sie diese Reisen nicht auf sich nehmen.

»Ich passe auf mich auf«, sagte sie. »Ich fliege nach Moskau. Ich kenne mich dort gut aus.«

Und dann: »Komm doch einfach mit. Du bleibst in der Nähe oder sitzt in einem Café, während ich, nun ja … arbeite.«

Das hatte sie ihm noch nie angeboten. Und noch nie hatte sie ihm das Ziel ihrer Reisen verraten. Gerade, als er ihr zusagen wollte, fiel ihm jedoch ein: »Verdammt! Mein Reisepass ist abgelaufen.«

Er verfluchte sich innerlich.

»Dann kommst du eben das nächste Mal mit«, sagte sie leicht dahin.

Und dann, betont locker: »Und was machst du? Wie sieht dein Plan für den heutigen Tag aus?«

Dengler stocherte missmutig in seiner Weißwurst.

»Ich treffe eine neue Klientin«, sagte er. »Offenbar ist ihr Mann verschwunden.«

Ein neuer Fall

Sie zog an der Zigarette, als hinge ihr Leben davon ab. Und als sie sprach, verharrte sie nach jedem Satz, als müsse sie neu überlegen.

»Zitternd saß er in einer Ecke des Supermarktes, als Polizei und Krankenwagen eintrafen«, sagte sie.

»Wie Espenlaub.«

»Er starrte vor sich hin, die Hände über dem Kopf zusammengeschlagen«, sagte sie.

»Blutunterlaufene Augen«, sagte sie.

»Trauten sich nicht, ihn anzufassen.«

»Eine halbe Stunde später war ich da. Um ihn herum standen sie im Halbkreis. Ließen ihn nicht aus den Augen. Mit ihren Waffen zielten sie auf seinen Kopf.«

Noch einmal zog sie kräftig an der Zigarette. Dann drückte sie die Kippe mit einer beiläufigen Bewegung aus.

»Er sah mich an – aber ich glaube, er erkannte mich nicht«, sagte sie.

»Inmitten eines unvorstellbaren Chaos saß er. Zwei Regale waren umgerissen, und den Leiter des Supermarktes hatte er zusammengeschlagen. Ein Krankenwagen hatte den Mann schon in die Notaufnahme des Katharinenhospitals gebracht.«

»Ich setzte mich neben ihn und nahm ihn in den Arm.«

»Am ganzen Leib zitterte er«, sagte sie.

»Überraschend war das nicht. Weiß Gott. Überraschend war das wirklich nicht.«

Ihre Unterlippe zitterte.

»Sie nahmen ihn mit«, sagte sie und zündete sich eine neue Zigarette an, »und brachten ihn nach Hamburg.«

»In die Militärpsychiatrie. Habe ich schon gesagt, dass er Soldat ist?«

»Zwei Monate blieb er dort.«

»Und vor zwei Wochen ist er abgehauen.«

Sie zog erneut an dem Glimmstängel, als wäre es der letzte auf der Welt.

»Bitte finden Sie ihn«, sagte sie.

»Bevor es zu spät ist.«

Erneut betrachtete Georg Dengler ihre Unterlippe. Sie zitterte immer noch ein wenig. Ihre Zungenspitze fuhr über ihre Lippen und hinterließ einen dünnen feuchten Film.

Sarah Singer richtete sich auf, und Dengler sah, wie sie das Kreuz durchdrückte, als wolle sie sich für das Kommende wappnen. Sie starrte ihn aus weit aufgerissenen Augen an. Langsam legte sie ihre Hand auf die seine. Sie war warm, und Georg Dengler fand die Berührung angenehm.

»Finden Sie ihn«, wiederholte sie und beugte sich zu ihm über den Tisch.

Eine attraktive Frau.

Lösch diesen Gedanken sofort, sagte eine innere Stimme, diese Frau hat andere Sorgen.

Er versuchte es.

Es gelang ihm nicht.

Sie zündete sich mit einer fahrigen Bewegung eine neue Zigarette an. Eine Haarsträhne fiel ihr dabei ins Gesicht. Blond.

Schulterlanges blondes Haar, notierte er innerlich. Anfang dreißig. Graue Augen. Pupillen geweitet. Gerade Nase. Voller Mund. Kein Schmuck. Aber zwei Löcher in jedem Ohrläppchen.

Sitzt vornübergebeugt, wie unter einer schweren Last. Weißes Sweatshirt. Dünne schwarze Lederjacke. Dunkelblaue Jeans von Joop. Männerjeans. Die Brüste nicht sehr groß.

Einen kurzen Moment versuchte er, sie sich nackt vorzustellen. Eine erregende Vorstellung. Sofort meldete sich die innere Stimme. Diese Frau hat massive Probleme – und du geilst dich an ihr auf, sagte sie. Ich mache nur meine Arbeit, antwortete er sich selbst. Personenbeschreibung. Wie ich's als Polizist gelernt habe.

Sehr witzig, sagte die innere Stimme. Mir brauchst du nichts vorzumachen.

»O. k. Ich brauche dann Ihre Daten«, sagte er. »Wir werden uns noch öfter sehen.«

Sie nickte und drückte die Zigarette aus.

»Ich weiß«, sagte sie.

Er zog das schwarze Notizbuch aus der Innentasche seines Jacketts.

»Bitte geben Sie mir Ihre Adresse mit Telefon, E-Mail, Fax, falls Sie eines haben«, sagte er.

»Sarah Singer«, sagte sie. »Wir wohnen in einem Vorort von Calw. Mein Mann ist dort stationiert.«

Sie nannte ihre Telefonnummer, ihre Handynummer und ihre E-Mail-Adresse.

»Ein Bild von Florian habe ich auch dabei«, sagte sie.

Sie hob eine hellbraune Wildledertasche, die sie auf dem Boden neben ihrem Stuhl abgesetzt hatte, auf ihren Schoß, öffnete den Reißverschluss mit einer einzigen energischen Bewegung und durchwühlte sie hektisch mit beiden Händen. Dann zog sie ein gerahmtes Foto heraus und schob es zu ihm über den Tisch.

Es war eine Aufnahme im Freien geschossen. Sarah Singer stand mit ihrem Mann in einem Garten. Beide lehnten sich an einen breiten Holztisch, der hinter ihnen stand, darauf Kaffeegeschirr und eine Vase mit Wiesenblumen. Ihr Mann trug Jeans, schwarzen Gürtel und ein gelbes Polohemd. Kurze Haare. Sein Blick war auf einen Punkt irgendwo rechts außerhalb des Bildrandes gerichtet. Schmales Gesicht. Längliches Gesicht. Leicht abstehende Ohren.

Eine Erinnerung kroch in Dengler herauf, eine Erinnerung von weit her. Kaum mehr als ein Nebel. Singer – er kramte in seinem Gedächtnis, ging blitzschnell die früheren Kollegen vom BKA durch.

»Singer«, wiederholte er gedehnt. »War Ihr Mann früher einmal Polizist?«

»Nein.«

Florian Singer. Was sagte ihm der Name? Er sah noch einmal auf das Foto. Etwas regte sich, irgendwo in seinem Hinterkopf, aber es wollte nicht ans Tageslicht.

Florian Singer.

»Stabsfeldwebel«, sagte sie.

»Ich habe zwei Kinder«, sagte sie, »aber nicht von ihm. Aus meiner ersten Ehe.«

»Darf ich das Foto vorerst behalten?«

»Sicher.«

»Ich brauche auch die Handynummer und die E-Mail-Adresse Ihres Mannes.«

»Natürlich.«

Dengler notierte sich ihre Angaben. Die Handy-Ortung war möglicherweise der schnellste Weg, den Mann zu finden. Außerdem bedeutete dies wenig Aufwand. Das ginge in ein paar Minuten.

»Und nun noch einmal: Was geschah in dem Supermarkt?«

Sie zögerte.

»Mein Mann ist krank«, sagte sie. »Ich glaube, mein Mann ist sehr krank. Und sehr gefährlich. Er drehte durch. Er drehte einfach durch. In einem normalen Supermarkt.«

Wieder strich sie eine Strähne aus dem Gesicht. Sie setzte sich aufrecht, und Dengler sah, dass ihre Brüste größer waren, als er anfangs vermutet hatte.

»Ich werde Ihnen helfen«, sagte er. »Ich werde Ihren Mann finden.«

Sie sah auf ihre Uhr und stand abrupt auf. »Ich muss los. Ich muss die Kinder aus der Schule abholen. Rufen Sie mich an?«

Dengler nickte.

Kalter August

Der Sommer des Jahres 2007 war tatsächlich nicht mehr als ein grün angestrichener Winter. Im April hatten hochsommerliche Temperaturen das Land überrascht und eine erregte Diskussion über die nahende Klimakatastrophe ausgelöst. Doch dafür revanchierte sich der Wettergott, indem er für den Rest des Jahres wechselndes Aprilwetter schickte. Nun war es August, und Dengler fror.

Er legte eine Junior-Wells-CD auf und wünschte, Olga wäre da.

If you ever loved a woman
You have to love her with a thrill.

Er vermisste sie.

Er sehnte sich nach ihr, ihrer Wärme und ihrem Lachen, ihren ungezielten Bewegungen, mit denen sie seine Nähe suchte.

Er stellte sich vor, wie sie ineinander verknäult auf seinem alten Sofa liegen würden, jeder ein Buch lesend.

Schwer stand er auf, ging in die Küche und öffnete eine Flasche Brunello.

Junior Wells' Blues folgte ihm.

Chicago, dachte er. Ich werde mit ihr für ein paar Tage nach Chicago fahren. Ihr diese wunderbare Stadt zeigen. Und die Blues-Clubs.

Er musste seinen Reisepass verlängern.

Als er auf dem Sofa saß, griff er wieder nach dem neuen Roman von Heinrich Steinfest. Doch er konnte sich nicht konzentrieren.

Florian Singer, dachte er plötzlich.

Singer. Der Name sagte ihm nichts. Aber er war sich sicher,

das Gesicht schon einmal gesehen zu haben. In Gedanken ging er seine früheren Kollegen vom BKA durch.

Florian Singer.

Etwas war da, aber er konnte sich nicht erinnern.

Stuttgart, Marktplatz

Josef Keller strahlte. Er war zufrieden mit dem heutigen Tag. Fast alle Zucchini verkauft. Die Tomaten aus seinem eigenen Bauerngarten – alle weg. Von den neuen Kartoffeln hatte er noch drei Stiegen, aber die würde er heute nicht mehr los. Er sah auf die Uhr. Halb zwei Uhr mittags. Zeit, Schluss zu machen. Doch noch immer drängten sich die Kunden an den Marktständen vorbei, junge Pärchen, die gemeinsam einkauften, gewiefte schwäbische Hausfrauen, die misstrauisch jede Tomate einzeln prüften, und, viel seltener, einzelne Männer, die heute Abend Gäste erwarteten und ein größeres Essen zubereiten wollten.

»Wir machen Schluss«, sagte er zu seiner Frau und begann, die Salatkisten aufeinanderzustapeln. Dann lud er sie in seinen alten Ford.

Merkwürdig. Heute Morgen, als er den Stand aufgebaut hatte, waren zwei Beamte des Liegenschaftsamtes in einem städtischen VW-Bus vorgefahren und hatten die beiden Betonplatten vor seinem Stand aus dem Boden gestemmt und den nun freigelegten Treppeneingang mit zwei rot-weißen Kegeln abgesichert. Dann waren sie die Treppenstufen hinabgestiegen – und seither nicht mehr aufgetaucht.

Keller wunderte sich. Er hatte schon öfter beobachtet, wie die beiden städtischen Angestellten den ehemaligen Bunker unter dem Marktplatz geöffnet und betreten hatten. Aber noch nie hatte ihre Inspektion so lange gedauert wie heute, der Eingang war jetzt seit Stunden offen. Meist hatten sie ihn wieder geschlossen, bevor die ersten Kunden auf dem Markt erschienen. Und noch nie hatten sie den VW-Bus so lange mit geöffneter Seitentür unbewacht hier stehen lassen.

Warum heute?

Er hatte in einem Buch, das ihm sein Sohn zum Geburtstag geschenkt hatte, gelesen, dass die Nazis 1940 innerhalb von nur vier Monaten den Stuttgarter Marktplatz unterbunkert und aus den Katakomben einen Luftschutzbunker gemacht hatten, in dem während des Krieges bis zu dreitausend Personen Schutz vor den alliierten Fliegerangriffen gesucht hatten. Nach dem Krieg eröffnete die Familie Zeller unter der zwei Meter dicken Stahlbetondecke ein Hotel. Es gab neunzig Zimmer zu günstigen Preisen. Da die Alliierten alle anderen Hotels beschlagnahmt hatten, war das Bunkerhotel für die Deutschen eine der wenigen Übernachtungsmöglichkeiten. In den Fünfzigerjahren wurde es gerne von Nachtschwärmern aufgesucht, da die Übernachtung im Bunker billiger war als das Taxi nach Hause. Erst 1985 wurde das Hotel wegen zu hoher Renovierungskosten geschlossen.

Jetzt hatte das unterirdische Hotel lange ausgedient. Sein Sohn hatte ihm auch erzählt, dass dort eine Zeit lang Übungsräume für Rockbands vergeben wurden und dass hin und wieder ausgefallene Kunstausstellungen unter dem Marktplatz stattfanden. Von Kollegen wusste er, dass die Händler des Weihnachtsmarktes einzelne Zimmer gemietet hatten, in denen sie während des Jahres ihre Stände und Waren lagerten. Während des Weihnachtsmarktes wurden auch die unterirdischen Steckdosen genutzt, von denen aus durch einen schmalen Luftschacht Elektrokabel nach oben führten und die Buden der Händler mit Strom versorgten.

Josef Keller lud noch einige Kisten Kopfsalat in den Ford und behielt den Bunkereingang im Auge. Merkwürdig war es schon, dass die Männer nicht wieder auftauchten.

»Hast du die beiden Männer vom Liegenschaftsamt gesehen? Sind die wieder aus dem Bunker rausgekommen?«, fragte er schließlich seine Frau.

Sie schüttelte den Kopf.

Er ließ den Blick über den Marktplatz streifen. Überall bauten die Bauern ihre Stände ab, packten Kisten in kleine

Lkws. In einer halben Stunde würde der Platz leer sein. Nur die Bunkertür stand noch immer offen.

Ihn ging es ja nichts an.

Komisch war es trotzdem.

Ob den beiden irgendetwas passiert war?

»Geh du doch mal nachgucken«, sagte seine Frau. »Ich mach das hier schon. Und mach dir keine Sorgen. Vielleicht müssen sie da unten was richten. Das kann ja dauern.«

Aber doch nicht am Samstag, dachte er.

Seine Frau konnte anpacken. Konnte sie immer schon. Keller nickte, und sie wuchtete zwei grüne Plastikbehälter Karotten in den Ford.

Keller wischte sich die Hände an seiner blauen Arbeitsschürze ab. Dann ging er hinüber zu dem Eingang. Die Treppenstufen waren übersät mit Zigarettenkippen.

Unten musste er den Kopf einziehen, als er die Stufen weiter hinunterging und vor der schweren Eisentür stehen blieb. Ihm kam es vor, als bewege sie sich leicht, als wolle sie ihn auffordern, einzutreten.

So ein Unsinn, sagte er sich. Diese Eisentür kann sich nicht von alleine bewegen.

Irgendetwas stimmte nicht.

Was soll schon in dem Bunker sein, dachte er.

Er war überrascht, wie schwer sich die Tür öffnen ließ.

»Hallo?«

Keller rief laut, auch um sein mulmiges Gefühl loszuwerden.

Der Weg führte ihn um zwei Ecken, dann stand er in einem größeren Raum, von dem zwei weitere Gänge abzweigten.

Er war erstaunt, wie lang diese Gänge waren. Sie mussten bis zum Spielwarengeschäft am Ende des Marktplatzes reichen. In jedem dieser beiden Gänge sah er dicht nebeneinander Tür an Tür – die Zimmer des alten Bunkerhotels.

»Hallo«, rief er lauter und öffnete die erste Tür. Rosa Blümchentapete an der Wand. Eine Küchenlampe im Stil der

Fünfzigerjahre baumelte von der Decke. Das Zimmer war halbdunkel, seine Augen brauchten eine Weile, um sich an das wenige Licht zu gewöhnen. Dann sah er: Es war leer.

Das nächste Zimmer ist leer, das übernächste auch.

Keller ging von Zimmer zu Zimmer, alle waren leer.

»Ist hier jemand?«

Das vorletzte Zimmer war verschlossen, aber der Schlüssel steckte. Keller schloss auf und trat ein. Ein rauchiger, süßer, metallener Gestank schlug ihm entgegen.

Die beiden Männer lagen nebeneinander ausgestreckt in der hinteren Ecke.

»Grüß Gott …« – Kellers Stimme brach.

Waren sie es? Kein Zweifel. Keller erkannte den einen an dem roten Anorak, den anderen an der grauen groben Hose. Die ganze Statur, kein Zweifel, dort lagen die beiden Männer des Liegenschaftsamtes und rührten sich nicht.

Keller ging zwei Schritte weiter. Blieb abrupt stehen. Seine Augen sahen in dem Zwielicht nun besser. Die Kleidung der beiden war unversehrt. Doch das Gesicht des einen Mannes war schwarz. Verbrannt. Es sah aus wie ein Stück Schweinehals, der viel zu lange auf dem Feuer gelegen hatte. Der Mund war nur noch ein schwarzes Loch, die Zunge hing heraus, und auch sie war schwarz und glänzend. Auf der Stirn war die Haut geborsten, eine schwarze Brühe floss träge seitwärts und verlor sich hinter seinem Ohr. Die Augen fehlten, nur zwei dunkle Höhlen starrten Keller an.

Auch die Haut des zweiten Mannes war schwarz verbrannt. Den Kopf hatte er zur Seite gewandt. Sein Hals war unterhalb des Ohres aufgebrochen. Eine große Ader war zu sehen, schwarz, zerrissen, als hätte jemand sie zerbissen.

Keller starrte auf das Bild vor seinen Augen. Einen Augenblick konnte er nicht glauben, was er sah. Dann übergab er sich.

Der Mord im Luftschutzbunker

Der Mord im Luftschutzbunker beherrschte nicht nur die Schlagzeilen der beiden Stuttgarter Tageszeitungen. Die verkohlten Leichen schafften es bis in die Tagesschau, und die *Bildzeitung* brachte ein Foto auf der ersten Seite.

»Die Polizei steht vor einem Rätsel«, sagte Mario, Denglers alter Freund aus Jugendtagen.

Sie saßen zu dritt auf dem Balkon von Marios Wohnung im fünften Stock eines Hauses in der Mozartstraße. Martin Klein hatte die Augen geschlossen und hörte zu. Mario schenkte seinen beiden Freunden Wein nach, einen Grauen Burgunder aus Bickensohl am Kaiserstuhl, den alle drei gern tranken.

»In der Zeitung steht, dass niemand weiß, wie es dem Täter gelang, die beiden Männer zu verbrennen. Die Polizei hat im Bunker keinerlei Brandspuren gefunden. Der Mörder muss sie irgendwo anders umgebracht haben. Dann hat er ihnen die Kleider wieder angezogen und sie wieder zurück in die Katakomben am Rathausplatz gebracht. Und das alles, ohne dass irgendjemand etwas davon mitgekriegt hat. An einem Samstagmorgen, als der Marktplatz voller Leute war.«

Mario war Künstler. Maler. Er schuf riesige Gemälde, immer abstrakt, expressiv, Orgien in Blau, Gelb und Rot. Hin und wieder verkaufte er ein Bild, immer an denselben Sammler, dessen Identität er jedoch vor seinen Freunden geheim hielt. Zudem betrieb Mario in seinem Wohnzimmer ein Eintischrestaurant. Nur Eingeweihte wussten davon. Neunzig Euro kostete ein Menü, fünf Gänge und Crémant, Weiß- und Rotwein inklusive. Es hatte sich in den Künstlerkreisen der Stadt sehr schnell herumgesprochen, dass man nirgendwo so gut essen konnte wie in Marios Wohnzimmer, und sein Eintischrestaurant wurde gut gebucht.

Dengler kannte Mario von klein auf. Sie waren zusammen aufgewachsen, in Altglashütten, einem Dorf im Süden des Schwarzwaldes. Dengler war schon früh klar, dass Mario später einmal Künstler werden würde. Bereits mit elf Jahren zeichnete er Portraits ihrer Klassenkameraden, die er ihnen für ein Pausenbrot oder eine Tafel Schokolade überließ. Mit dreizehn Jahren interessierte er sich weniger für die pornographischen Schmuddelheftchen, die auf dem Schulhof von Hand zu Hand gingen. Mario gestand ihm vielmehr, dass er vor Botticellis »Geburt der Venus« onanierte und auch vor François Bouchers »Das ruhende Mädchen«. Beide sah er erst Jahrzehnte später im Original, aber seine Mutter freute sich damals, wenn er ihre Kunstbände aus dem Bücherregal nahm und sich damit in seinem Zimmer einschloss.

Später hatten sich die beiden Freunde aus den Augen verloren, aber als Georg nach Stuttgart zog, stellte er fest, dass Mario bereits seit zwei Jahren in der Stadt wohnte. Mario zeigte ihm die hinter der Fassade der Wohlanständigkeit verborgenen Zonen der Stadt. Auch das Bohnenviertel, in dem Dengler seine Wohnung gefunden hatte. Dort, über dem *Basta*, wohnten damals bereits Martin Klein und – Olga.

Martin Klein hatte noch immer die Augen geschlossen.

»Wurde das Verbrechen also nicht in dem Bunker verübt?«, fragte er.

»Nein, das ist ja das Rätsel.« Mario schien nun in seinem Element. »Es gibt keinerlei Anzeichen für Feuer in dem Bunker. Das hätte doch auch ordentlich qualmen müssen. Jetzt sucht die Polizei den Tatort in unmittelbarer Nähe des Marktplatzes. Und sucht Zeugen, die gesehen haben, wie jemand die verbrannten Männer zurück in den Keller getragen hat. Aber niemand scheint etwas beobachtet zu haben.«

»Auch der Bauer nicht, der die Leichen gefunden hat?«

»Nein. Der ist ja auch noch nicht vernehmungsfähig. Steht unter Schock. Kann man ja verstehen.«

»Sag du doch mal was«, sagte Klein immer noch mit geschlossenen Augen zu Dengler. »Schließlich bist du der Bulle in unserer Mitte.«

»Ich bin kein Bulle mehr.«

»Sag trotzdem was. Wie erklärst du das?«

»Überhaupt nicht. Ist nicht mein Fall.«

Dengler dachte an die beiden Hauptkommissare Weber und Joppich, die er bei seinem letzten Auftrag kennengelernt hatte. Weber würde sicher das Richtige tun. Er war bereits zum Leiter der Sonderkommission »Flammentod« ernannt worden.

»Mensch, Georg, irgendetwas musst du doch dazu sagen können?«

Dengler schüttelte den Kopf.

»Ein Fall ist für mich Arbeit. Weber macht die seine, ich die meine.«

»Und an welchem Fall arbeitest du gerade?«, fragte Mario.

»Ich suche einen entlaufenen Ehemann.«

»Klingt ja superspannend«, sagte Mario, gähnte und goss ihm nach.

Auf der Suche

Am nächsten Morgen rief er Sarah Singer an. Ihr Mann war nicht aufgetaucht. Sie hatte kein Lebenszeichen von ihm erhalten, keinen Anruf, keinen Brief, keine E-Mail, nichts.

Dengler fragte sie nach den Adressen der nächsten Verwandten.

»Abgeklappert habe ich alle. Gemeldet hat er sich da auch nicht.«

»Sagen Sie mir die Adressen trotzdem. Mit Telefonnummern.«

»Muss das sein?«

»Wenn ich meine Arbeit richtig machen soll, dann schon.«

»Sehen Sie …« Sie zögerte.

»Sehen Sie«, wiederholte sie nun lebhafter. »Wir sind doch ein Team. Sie und ich. Ich suche ihn in meiner Verwandtschaft. Sie …«

Sie zögerte erneut.

»Bei dem Rest suchen Sie.«

Dengler schwieg. Er stellte sich vor, wie sie sich mit der Zunge über die Lippen fuhr.

»Es ist so: Beide Eltern haben unsere Ehe nicht unterstützt. Ein riesiges Getratsche wird es geben, wenn sich herumspricht, dass er … dass er mir weggelaufen ist. Wenn ich nur an meine Mutter denke! Einen Bundeswehrling hat sie ihn immer genannt.«

»Freunde?«

»Bitte?«

»Hatte Ihr Mann Freunde?«

Sie schwieg einen Augenblick.

»Eigentlich nicht.«

»Ihr Mann hatte keine Freunde?«

»Vielleicht hat er welche. Wenn es sie gibt, kenne ich sie

nicht. Nach Hause hat er nie jemanden gebracht. Doch, warten Sie, einen Kameraden habe ich einmal kennengelernt. Den Namen, an den kann ich mich nicht erinnern. Wenn er mir einfällt, rufe ich Sie an.«

»Gut. Wie lang waren, äh, sind Sie verheiratet?«

»Vier Jahre. Warum fragen Sie?«

»Ich muss mir ein Bild von Ihrem Mann machen. Und Ihre Ehe gehört nun mal dazu.«

»Verstehe.«

Sie schwiegen beide, und Dengler kam es vor, als würde sie die vier Jahre ihrer Ehe rekapitulieren.

»Sie meinen«, sagte sie und holte einmal tief Luft, »ob wir noch Sex hatten.«

»Zum Beispiel.«

Plötzlich wusste er nicht mehr, ob er die Antwort hören wollte. Rasch wechselte er das Thema: »Außerdem brauche ich weitere Fotos von Ihrem Mann. Ich muss wissen, wie seine Dienststelle heißt. Ich würde mir auch gerne mal seine persönlichen Sachen ansehen.«

»Gut, dann kommen Sie doch vorbei. Meine Adresse haben Sie ja. Mir passt es am besten vormittags, wenn die Kinder in der Schule sind, oder abends ab neun, wenn sie schlafen.«

»Ich komme heute Abend«, sagte er und legte auf.

***

Dengler fuhr den Rechner hoch. Er startete das Programm, das Singers Handy orten konnte. Noch vor wenigen Monaten verfügten nur die Polizei und die Geheimdienste über solche Programme, doch nun boten zahlreiche Firmen im Internet ihre Dienste an. Eifersüchtige Frauen konnten feststellen lassen, wo sich ihre Männer gerade befanden, und besorgte Eltern konnten überprüfen, ob die Tochter tatsächlich bei der besten Freundin übernachtete oder doch auf der verbotenen Party feierte.

Er gab Singers Telefonnummer ein und wartete. Nach zwei

Minuten kam die Antwort. Singers Handy war nicht einge-
schaltet. Der letzte erfasste Standort war Hamburg in unmittelbarer Nähe des Bundeswehrlazaretts – an dem Tag, als
Florian Singer von dort geflohen war.

Was bedeutete das? Wenn Singer nicht ermordet oder ent-
führt worden war: Warum hatte er seit seiner Flucht das
Handy nicht mehr benutzt? Aus Sicherheitsgründen? Weil
er sich ein neues besorgt hatte? Oder hatte Singer den Chip
des Telefons ersetzt? Dann sah das nicht mehr nach einer
spontanen Flucht aus, sondern so, als habe er geplant zu verschwinden. Professionell geplant zu verschwinden.

Er schickte eine E-Mail an Singers Adresse von einem Ac-
count, den er für solche Fälle unter einem anderen Namen
unterhielt: »Ich habe Sie neulich gesehen und würde Sie gerne treffen. Bitte antworten Sie mir.« Drei Minuten wartete
er auf eine Fehlermeldung. Als keine eintraf, wusste er, dass
die Adresse nicht gelöscht war. Immerhin ein Ansatzpunkt.

***

Den weiteren Vormittag verbrachte Georg Dengler mit dem
Abschlussbericht über eine Versicherungsbetrugssache, an
der er seit vier Monaten arbeitete. Kurz nach elf erreichte
ihn eine SMS von Olga. Ihr gehe es gut, schrieb sie, in zwei
Tagen sei sie wieder zurück. Denglers Stimmung stieg, und
als der Drucker die Rechnung an die Versicherungsgesell-
schaft ausspuckte, war sie perfekt.

Nicht ausgesorgt, aber für ein paar Monate würde ihn das
Geld über Wasser halten.

Er ging hinunter ins *Basta*. Der kahlköpfige Kellner saß mit
einer Frau an dem großen Tisch vor der Wand, hielt leicht
den Kopf geneigt und hörte ihr zu. Martin Klein saß an seinem Stammplatz am Fenster. Dengler setzte sich zu ihm.
Kurz danach brachte der Kellner ihm einen doppelten Espresso und stellte ein Kännchen mit warmer Milch daneben.
Dengler dankte ihm mit einem Kopfnicken.

»Bist auch so ein Gewohnheitstier«, brummte Klein vor sich hin und deutete auf Denglers Kaffee. »Nimmst immer das Gleiche.«

Dengler lachte. Klein hatte recht. Wenn ihm etwas gefiel, blieb er dabei. Er trank gern einen doppelten Espresso, den er mit Milch verdünnte. Und abends trank er gern einen Grauen Burgunder, am liebsten vom Kaiserstuhl, oder, falls er Lust auf Rotwein hatte, einen Brunello. Wenn er es sich richtig überlegte, hatte er ein ganzes System von Vorlieben. In der Markthalle kaufte er zum Beispiel immer den gleichen Käse, einen ...

In diesem Augenblick klingelte sein Handy. Es war Mario.

»Hast du die Zeitungen heute schon gelesen?«

Ohne eine Antwort abzuwarten, fuhr Mario fort: »Die Brandleichen! Das soll ein terroristischer Anschlag gewesen sein. Vermutet man jedenfalls.«

»Auf zwei Angestellte des Liegenschaftsamtes?«

»Ich glaub das ja auch nicht. Ich denke, es war die Regierung.«

Dengler konnte Mario nicht folgen und schwieg.

»Überleg doch mal«, sagte Mario, »nur die Regierung konnte die Leichen ungesehen wieder in den Keller bringen, vielleicht durch einen geheimen Gang vom Rathaus aus. Das steht doch direkt am Marktplatz. Sie wollen uns in Panik versetzen, wahrscheinlich planen sie einen neuen Krieg.«

Mario liebte Verschwörungstheorien. Jede Woche entwarf er eine, verwarf sie gleich wieder, um in der folgenden Woche bereits eine neue, noch abstrusere zu präsentieren. Dengler hatte dafür absolut keinen Sinn.

»Mario, ich hab keine Zeit. Ich muss los. Muss mir einen Wagen mieten.«

»Überleg doch mal, Georg, die wollen, dass wir an eine terroristische Verschwörung glauben. In Wirklichkeit waren die das selber.«

»Mario, ich muss jetzt wirklich ...«

»Verstehst du den Zusammenhang nicht?«

»Doch, Mario, aber ich muss einen Leihwagen …«

Dengler trennte das Gespräch.

Manchmal war ihm nicht klar, was ihn mit Mario verband. Dann schien es ihm, als sei sein Freund das genaue Gegenteil von ihm. Er fand Marios Art unerträglich, eine spontane Idee völlig ernsthaft zu verfolgen und sie dann leichtfertig, als habe sie ihm nie etwas gegolten, wieder zu verwerfen. Das Leichte, Unbewusste und manchmal auch das Dunkle an Mario irritierte Dengler, seit sie Kinder gewesen waren. Ihm dagegen galt jeder Gedanke etwas. Dengler grübelte oft, und ihm fiel das Denken nicht leicht. Es war eher ein schwerer Weg, ein Weg, den er sich mit einer Machete durch dichtes Unterholz bahnen musste. Und nie wäre er auf die Idee gekommen, die Ergebnisse einer solchen Arbeit einfach zu verwerfen.

Und trotzdem. Wenn ihn jemand gefragt hätte, wer sein bester Freund sei, so hätte er Marios Namen ohne zu zögern genannt.

»Du willst dir einen Leihwagen nehmen?«, fragte Klein.

»Ja, ich muss heute zu einer Klientin in den Schwarzwald fahren.«

»Und warum wirst du nicht endlich Mitglied bei Carsharing?«

»Bei was?«

»Bei Stadtmobil. Carsharing. Schau her: Wenn du ein Auto brauchst, rufst du an. Und an fast jeder Straßenecke steht eines, das du als Mitglied benutzen kannst. Du steigst ein. Fertig. Kostet wenig.«

Dengler seufzte: »Mario hat einen Tick mit seinen Verschwörungstheorien. Du hast einen Ökotick. Der einzig Normale von uns dreien bin ich.«

»Ach was«, sagte Martin Klein und suchte sein Handy in der Hosentasche seiner schwarzen Cordhose. Er wählte.

»Ich brauche einen Wagen für zwei Stunden«, sagte er.

Dengler trank seinen Kaffee aus.

»Komm mit. Ich zeig dir was«, sagte Klein, als er das Gespräch beendet hatte.

Er stand auf. Dengler blieb sitzen. Klein fasste ihn am Arm.

»Komm, Georg, es lohnt sich.«

Klein verließ das Lokal und ging mit ihm die wenigen Schritte zum Olgaeck hinüber. Er überquerte die Charlottenstraße und bog in eine schmale Seitenstraße ein. Nach wenigen Minuten kamen sie an einen größeren Parkplatz. An der Eingangssäule hing ein kleiner brauner Metallkasten, der mit einem kleinen Sichtfenster und einer Zahlentastatur versehen war. Klein hielt eine Karte, die Dengler an eine EC-Karte erinnerte, auf das Fenster und gab dann über die Tastatur einen vierstelligen Code ein. Die Tür des Tresors öffnete sich, und Dengler sah zu seinem Erstaunen darin einige Autoschlüssel hängen. Unter einem leuchtete eine kleine grüne Diode. Klein nahm diesen Schlüssel und ging auf einen der dort parkenden Wagen zu, öffnete die Tür und stieg ein.

»Komm schon, Georg«, rief er.

Dengler stieg ein.

»Mehr Anstrengung ist es nicht. Kostet sieben Euro Gebühr im Monat plus Kilometergeld und Stundenpauschale.«

Er legte den Rückwärtsgang ein.

»Wo fahren wir hin?«, fragte Dengler.

»In die Tübinger Straße«, sagte Klein und fuhr den Wagen aus dem Parkplatz. »Dort ist die Stuttgarter Stadtmobilzentrale. Manchmal muss man dich zu deinem Glück zwingen.«

Dengler seufzte, und Klein gab Gas.

Zwei Stunden später besaß Dengler tatsächlich eine Karte, wie er sie bei Martin Klein gesehen hatte. Er konnte nun zu jeder Tages- und Nachtzeit ein Stadtmobil benutzen. Mehrere Standplätze um das Bohnenviertel herum waren für ihn gut zu erreichen, und die Kosten waren nicht hoch. Heute Abend würde er mit einem roten Stadtmobil bei Sarah Singer vorfahren.

Calw, Sarah Singers Wohnung

»Der Kerl, der an meiner Haustür klingelte, war nicht mehr mein Ehemann. In keiner Weise ähnelte er ihm.«

Sie saßen in einem kleinen, gemütlichen Wohnzimmer in Sarah Singers Haus. Eine weiß bezogene Couch stand an der linken Längsseite des Raumes, davor ein kleiner Holztisch, ein roter Sessel, unter dem Fenster der Fernseher und eine Hi-Fi-Anlage, an der zweiten Längswand weiße Billy-Regale, gefüllt mit Büchern, CDs und einigen Fotos. An der vierten Wand lehnte eine Staffelei, darauf ein fast zu Ende gemaltes Bild, ein weiblicher Akt, eine Frau in der Hocke, den Kopf vornübergebeugt, die Haare hingen bis zum Boden und verdeckten das Gesicht der Frau. Zwei kräftige Brüste, klar ausgearbeitet und den Gesetzen der Schwerkraft tapfer trotzend. Mit einer Reißzwecke war ein Foto an dem Rahmen der Staffelei befestigt, das offensichtlich als Vorlage für das Gemälde gedient hatte.

»Das bin ich«, sagte Sarah Singer, die Denglers Blick bemerkte, und er überhörte den stolzen Unterton in ihrer Stimme keineswegs. »Ab und zu male ich. Ich brauche das einfach – manchmal.«

Und wieder bemerkte Dengler, wie sie sich einen Ruck gab, den Rücken durchdrückte, mit einer fast trotzig wirkenden Bewegung.

Dann besann sie sich auf ihren Bericht.

»Vor der Tür stand er einfach eines Abends. Ohne Vorankündigung. Fast drei Monate war er weg gewesen. Ich wusste nicht, wo. Vor Angst bin ich fast ... nun war er wieder da. Aber der Blick seiner Augen ...«

Sie schüttelte sich und sah Dengler an.

»Der Blick seiner Augen glich einem ›Wer bist Du?‹. Völlig teilnahmslos. Als kenne er mich nicht.«

In ihren Augenrändern sammelten sich Tränen.

»Ich …«

Sie schluchzte, wischte sich mit einer energischen Bewegung die Tränen aus dem Gesicht. Dabei verteilte sie Lidschatten auf die Wange.

»Ich, ich … Idiotin. Ich hing ihm sofort am Hals. Küsste ihn und herzte ihn. Lachte und war so glücklich. Ich dumme Pute. Es war, als würde man einen Eisberg umarmen.«

Sie sah ihn an, und Dengler fand, dass sie gut aussah. Sehr gut sogar.

»Ich also: Komm erst mal rein. Er geht mit mir in die Küche. Ich köpfe eine Flasche Saint Emilion. Grand Cru natürlich. 1998. Hatte mir meine Mutter mal geschenkt. Ich hab sie aufgehoben für besondere Anlässe. War ja auch einer.«

Sie schniefte und fuhr sich mit dem Ärmel über die Nase.

»Wo kommst du her, frage ich ihn. Er schüttet den Rotwein runter wie nix. Ohne mit mir anzustoßen. Mein Tropfen für besondere Anlässe! Aber ich sage immer noch nichts. Wo kommst du her, frage ich ihn noch einmal. Keine Reaktion. Schenkt sich noch ein Glas Wein ein. Randvoll. Und kippt ihn runter. Einfach so. Wie Wasser. Da wusste ich, dass irgendwas nicht stimmte.«

Ihre rechte Hand spielte mit den Knöpfen ihrer Strickjacke.

»Ich schalte also um auf verständnisvolle Ehefrau. Jetzt stoß erst mal mit mir in Ruhe an, sage ich und fülle sein Glas nach. Wir haben dann tatsächlich angestoßen wie halbwegs zivilisierte Menschen. Und er trank auch nur das halbe Glas leer. Und ich legte meine Hand auf seinen Arm. Also, Schatz, hast du Hunger? Keine Antwort. Willst du die Kinder sehen? Keine Antwort. Wo kommst du her?«

Stille. Dengler überlegte, ob er etwas sagen sollte, entschloss sich dann aber zu schweigen.

»Er sah mich plötzlich mit großen Augen an, so als hätte er mich gerade in diesem Augenblick erst wahrgenommen. Nie werde ich das vergessen, diesen erstaunten Blick. Und dann sagte er zwei Worte. Die einzigen beiden Worte, die er an diesem Abend sagen würde.«

Jetzt weinte sie. Tränen rollten ihr aus den Augen, liefen über ihre Wangen, manche verfingen sich in ihren Mundwinkeln, um dann über das Kinn hinunter zum Hals zu laufen.

»Wie hießen diese beiden Worte?«, fragte Dengler leise. »Wo kam Ihr Mann her?«

Nun sah sie ihn erstaunt an.

Ihr Mund öffnete sich und schloss sich wieder. Dengler kam es vor, als würde sie Kraft sammeln.

»Kandahar. Afghanistan.«

Sehnsucht

Dengler stellte den Wagen auf dem Parkplatz am Olgaeck ab. Es ging alles ganz einfach. Er öffnete den kleinen Tresor mit der Karte und steckte den Wagenschlüssel in den dafür vorgesehenen Slot. Das war's. Nun kam er sich schon fast vor wie ein alter Stadtmobilbenutzer.

Kandahar, Afghanistan – mehr hatte Sarah Singer nicht gesagt. Danach konnte sie die Tränen nicht mehr zurückhalten. Dengler hatte eine Weile seine Hand auf die ihre gelegt, ihr in der Küche ein Blatt von der Küchenrolle abgerissen, mit dem sie sich die Tränen trocknete. Dann war er gegangen.

Viel zu wenig Informationen, um sich auf die Suche nach ihrem Mann zu machen. Er musste sie noch einmal besuchen.

Das *Basta* war voll, alle Tische besetzt, und an der Bar standen die Gäste in zwei Reihen. Als der kahlköpfige Kellner ihn sah, hob er die Flasche mit dem Bickensohler Grauburgunder, aber Dengler schüttelte den Kopf. Er war nicht zum Trinken aufgelegt. Seine Augen durchsuchten den Raum. Als ihm bewusst wurde, dass er Olga suchte, ging er wieder hinaus.

Nach nur zwei Schritten stand er an der Eingangstür seines Wohnhauses, schloss auf und stapfte die Treppe hinauf in den ersten Stock, wo sich Büro und Wohnung befanden. Noch auf der Treppe stellte er sich vor, dass er gleich unter Olgas Tür einen Lichtschimmer sehen würde. Vorsichtig würde er dann die Treppe zu ihrer Wohnung hinaufgehen, leise klopfen, und sie würde öffnen und erstaunt tun, so als habe sie ihn nicht erwartet.

All dies malte er sich aus, als er die Treppen in den ersten Stock hinaufstieg. Vor seiner Wohnung blieb er stehen und wartete mit dem Schlüssel in der Hand, bis das Flurlicht ausging. Und erst als es verloschen und im Treppenhaus dunkel war, sah er zu ihrer Tür.

Kein Lichtschimmer von oben. Nichts.

Olga war noch nicht zurück. Natürlich nicht.

Dengler öffnete die Tür zu seiner Wohnung. Was sollte er tun? Er ging in sein Büro und fuhr den Rechner hoch. Am besten wäre es, wenn er die Notizen aus dem Gespräch mit Sarah Singer gleich in den Computer übertragen würde. Und während der Rechner noch leise vor sich hin gurgelte und in aller Gemächlichkeit ein Symbol nach dem anderen auf den Bildschirm zauberte, ging Georg in die Küche. Auf dem Tisch stand noch die Flasche Brunello von gestern Abend. Er goss sich ein Glas ein, und in diesem Augenblick fiepte das Handy in seiner Hosentasche. Eine SMS.

Komme schon morgen. Freue mich. Olga.

Er nahm das Glas und ging hinüber zum Fenster.

Was für ein Glückspilz ich bin, dachte er. Morgen kommt sie.

Freude erfüllte ihn, und er dachte, sie müsse von ihm abstrahlen bis hinunter auf die Straße. Sie kommt! Endlich. Er hatte das Gefühl, ganz leicht zu sein und ganz glücklich.

Nur einmal streifte kurz der Akt auf Sarah Singers Staffelei sein Bewusstsein, dann war er wieder ganz bei Olga. Er trank einen Schluck Rotwein und ging hinüber zum Computer.

Olgas Rückkehr

Es gibt leichte Tage, und es gibt schwere Tage. Das ist normal. Die leichten Tage sind in der Regel seltener, aber dieser Tag war für Georg Dengler definitiv einer der guten, einer der leichten Tage.

Er schlug die Augen auf und war wach. Olga kommt zurück. Das war der erste Gedanke. Kein Schweben zwischen irgendwelchen Traumwelten. Kein mühseliges Abstreifen eines unangemessenen Traumes. Die Decke zurückgeworfen. Keine Liegestütze. Heute nicht. Musik. Blues. Junior Wells. Ab ins Bad. Olga kommt heute zurück. Alles andere war unwichtig. Er pfiff vor sich hin, als die kleine silberne Espressokanne auf der Gasflamme schnorchelte. Kein lastendes Zeitgefühl. Die Zeit verging genau im richtigen Tempo.

Bis das Telefon klingelte.

Mit einer eleganten Bewegung zog er den Hörer von der Ladestation.

Es war seine Mutter. Warum er sie so lange nicht mehr besucht habe? Nicht einmal Zeit für einen Anruf finde er. Ob er sie denn völlig vergessen habe? Ein Anruf, das müsse doch zu machen sein. Ob das denn zu viel verlangt sei? Er hielt den Hörer in die Höhe, weit weg vom Ohr.

Die Zeit verging plötzlich ganz langsam.

Zum Schluss versprach er, sie übermorgen zu besuchen.

Wütend über sich selbst legte er auf.

Dann schaltete er den Rechner ein und überflog die Aufzeichnungen, die er bei dem gestrigen Gespräch mit Sarah Singer notiert hatte.

Im Grunde weiß ich noch viel zu wenig von meiner Zielperson, sagte er sich. Er war gestern Abend noch eine Weile bei Sarah Singer sitzen geblieben, die nicht mehr aufhörte zu weinen. Er hatte sich überlegt, ob er sie in den Arm nehmen sollte, aber sie schluchzte so laut, und ihr Körper zuckte, dass dies wohl keine gute Idee gewesen war. Er war stattdessen in die Küche gegangen, hatte ein Blatt von der Küchenrolle abgerissen. Wichtige Fragen waren noch nicht gestellt.

Er würde sie noch einmal besuchen. Vielleicht sogar noch zweimal.

Plötzlich sah er sie nackt vor sich. In der gleichen Pose wie auf dem Akt in ihrem Wohnzimmer.

Konzentrier dich, dachte er. Konzentrier dich auf die wichtigen Fragen. Es sind ohnehin immer die gleichen.

Freunde, Verwandte, Kollegen – in diesem Fall nannte man sie wohl Kameraden, die ihm Unterschlupf gewähren konnten.

Geld. Wie viel Geld hatte Singer bei sich, als er aus dem Hamburger Lazarett türmte? Hatte er seitdem Geld abgehoben? Wenn ja, konnte man über die Finanztransaktionen seine Spur verfolgen?

Er schrieb auf einen Zettel die nächsten Schritte.

Singers Dienststellen anrufen. Wurde er von den Feldjägern gesucht?

Im Hamburger Krankenhaus anrufen. Er musste etwas über seine Krankheit herausfinden.

Hatte Florian Singer einen Wagen? Wenn ja, wo war der jetzt?

Frage um Frage notierte er sich. Schrieb einen neuen Zettel mit der Liste der Telefonate, die er führen musste. Schrieb einen Zettel mit den Fragen an Sarah Singer. Schrieb und schrieb und sah plötzlich auf.

An der Tür stand Olga und sah ihm zu.

Sie lächelte.

»Ich habe geklopft«, sagte sie, »aber du hast mich nicht gehört.«

Nichts verlernt

Später lagen sie in seinem Bett, erschöpft, die Luft schwer von ihrem Geruch.

Er lag auf dem Bauch, sie auf dem Rücken. Sein rechter Arm ruhte auf ihr.

»Ich dachte schon, ich hätte es verlernt«, sagte er.

»Das dachte ich manchmal auch«, sagte sie.

Er lachte erst nach einer kleinen Verzögerung.

Er nahm ihre rechte Hand in die seine.

»Ich habe ein Angebot für einen Job. Danach hätte ich ausgesorgt – wurde mir gesagt.«

»Das klingt interessant«, sagte sie schläfrig.

Er beschloss plötzlich, ihr nicht mehr zu erzählen. Dass er eine Bürgerinitiative bespitzeln sollte, hätte sofort zum Streit geführt. Sie hätte ihm heftige Vorwürfe gemacht. Aber andererseits – wenn er ausgesorgt hätte, bräuchte sie nie wieder auf ihre Tour zu gehen.

Er betrachtete ihre rechte Hand. Olgas Zeigefinger war genauso lang wie ihr Mittelfinger. Zärtlich küsste er ihn. Als Kind hatte man diesen Finger gestreckt. Es musste sehr schmerzhaft gewesen sein, aber es war die perfekte Vorbereitung auf eine Kindheit als Taschendiebin.

Sie sprach niemals über diese Zeit, und deshalb stellte sich Dengler ihre frühen Jahre als Horror vor. Später war sie vor der Bande, die sie ausgebeutet hatte, geflohen, aber ihre Fähigkeit hatte sie behalten: Niemand konnte so schnell und unbemerkt jemandem eine Brieftasche oder einen Geldbeutel abnehmen wie Olga. Sie war eine Meisterdiebin.

Dies war der Grund, warum er sich vor ihren Reisen fürchtete: Er wusste, dass sie dann wieder auf einen ihrer Raubzüge ging. Wenn ihr das Geld ausging, verschwand sie, und wenn sie zurückkam, tat sie, als sei nichts geschehen.

Olga konnte man mit Geld nicht beeindrucken.

»Wenn das Geld knapp wird«, hatte sie einmal zu ihm gesagt, »dann laufe ich ein- oder zweimal durch das Foyer eines großen Hotels – und schon reicht es wieder für drei Monate.«

Einerseits bewunderte Dengler sie für dieses gesetzlose Leben, andererseits fühlte er sich schuldig, dass er es nicht schaffte, sie von diesem Leben als Diebin zu befreien. Seine Geschäfte liefen nun besser, sicher, er bekam Aufträge, hin und wieder sogar gut bezahlte – aber einer, nach dem er »ausgesorgt« hätte, war noch nie darunter.

Aber er scheute sich, ihr etwas über Noltes Angebot zu erzählen. Er war der einzige Mann auf der Welt, der sich vor den Moralpredigten einer Diebin fürchtete.

Wut

Nachts war es kein Problem. Nachts hatte er keine Angst. Nachts war er wach.

Er hatte den Mann mit dem albernen roten Auto gesehen. Hatte ihn beobachtet, wie er vor ihrem Haus geparkt hatte. Und wie er nach anderthalb Stunden wieder herauskam.

Hatte er sich doch gedacht, dass diese Nutte sich verhielt wie eine Nutte.

Er lachte bitter. Diese Liebesschwüre. Gut, dass er nicht mehr daran glaubte. Erst hatte er gedacht, dass es an ihm lag, dass alle Liebe in ihm tot war. Aber er hatte gespürt, er hatte es gewusst, dass sie sich gleich einen anderen ins Bett ziehen würde.

Das wird sie bereuen.

Und der Typ in dem lächerlichen roten Auto auch.

Der zuerst.

Nachts war das kein Problem.

Gestern aber hatte er versucht, am helllichten Tag durch die Stadt zu gehen.

Zunächst war das ganz einfach. Bis er die gelben Säcke gesehen hatte.

An jeder Ecke gelbe Säcke.

Er ertrug es nicht.

Den ersten kickte er schnell zur Seite. Kein Sprengsatz dahinter.

Natürlich nicht, sagte er sich, ich bin ja in Deutschland.

Aber dann, an dem nächsten Hauseingang: Dieser gelbe Sack sah so merkwürdig aus. Stand so schräg da. Das war doch auffällig. Der verbarg doch was.

Mit drei schnellen Schritten war er dort gewesen und hatte den Sack von der Wand weggerissen.

Nichts.

Keine Bombe.

Nichts.

Gut.

Wie sollte er denn unterscheiden, in welchem Sack eine Bombe steckt und in welchem nicht?

Ein Rentner hatte ihn am Ärmel gezogen, als er den nächsten Müllbeutel auf die Fahrbahn kickte.

Der lag jetzt im Krankenhaus.

Nein, tagsüber war die Stadt zu gefährlich.

Aber nachts war das kein Problem.

Er legte einen Gang ein und verfolgte den Kerl in dem beschissenen roten Auto, der gerade seine Frau gefickt hatte.

Blutsbrüder

»Immer fährst du diesen Umweg«, sagte seine Mutter, die praktisch denkende Bäuerin. Sie sagte es, noch bevor sie ihm einen guten Tag gewünscht hatte.

Als würde sie ihm ansehen, aus welcher Richtung er ins Dorf gekommen war. Sie konnte es nicht wissen, denn Altglashütten lag an der breiten Straße, die vom Schluchsee nach Bärental führte und sich dort verzweigte: Eine Richtung führte zum Feldberg hinauf und die andere nach Titisee hinunter. Aus dieser Richtung, über die neue Strecke von Titisee, fuhren die meisten, die Touristen, aber auch die Einheimischen. Sie war die schnellste Verbindung ins Dorf und die am besten ausgebaute Straße. Vom Dengler-Hof aus konnte man nicht auf diese Straße sehen. Nur bis zur Einfahrt reichte der Blick.

Aber seine Mutter hatte recht. Auch diesmal hatte er einen anderen Weg gewählt. In Neustadt war er bereits abgebogen, durchquerte den Ort, fuhr an den abgebrannten Überresten der *Lila Eule* vorbei, früher der einzige Nachtclub weit und breit. Unwillkürlich gab er Gas. In seiner Kindheit waren die Jugendlichen von Neustadt die natürlichen Feinde der Bauernbuben aus den Dörfern drum herum gewesen.

Damals.

Dengler lächelte. Die Jungs aus Neustadt fühlten sich als etwas Besseres. Wenn ihnen einer der Bauernbuben, wie Dengler einer war, über den Weg lief, gab es Dresche. Manchmal zogen sie auch durch die Dörfer und suchten sich Opfer. Aber ihn hatten sie nie erwischt.

Über Lenzkirch lenkte er den Wagen die schmale Straße entlang nach Raitenbuch. Früher war das der Hauptweg nach Altglashütten gewesen, doch jetzt kam ihm nur ein Motorradfahrer entgegen. Sonst niemand. Er fuhr gemächlich die Landstraße durch den Wald. Ihm gefiel die Strecke.

Dann sah er das silbrig glänzende Wasser des Windgfällweihers vor sich. Größer als ein Weiher. Ein See. Er parkte den Wagen in einer kleinen Haltebucht und stieg hinunter zum Ufer. Dengler hockte sich nieder und steckte eine Hand ins eiskalte Wasser

Kein Mensch zu sehen.

Alles hier war so ruhig wie immer. Auf der anderen Seeseite leuchteten kurz die roten Anoraks zweier Wanderer auf. Dann waren auch sie verschwunden.

Er stand auf und ging die wenigen Meter nach links. Er wunderte sich, dass er innerlich völlig unberührt blieb. Die Stelle sah so aus, wie er sie in Erinnerung hatte. Aus der gemauerten Tunnelöffnung, groß genug, dass ein Mann in gebückter Haltung hineingehen konnte, plätscherte ein kleiner Bach und floss in den See. Als Kind war er mit dem Fahrrad in diese Zuleitung hineingefahren.

Noch immer zeigte sein Inneres keine Reaktion.

Er kniete sich hin, um besser in die Röhre hineinschauen zu können.

Dunkel.

Dunkel war es darin immer gewesen.

Nach drei, vier Metern verlor sich das Tageslicht. Nur die Fahrradleuchte, von dem unregelmäßig surrenden Dynamo angetrieben, spendete dünnes, flackerndes Licht. Nach zehn Metern bedeutete jeder weitere Meter eine Mutprobe. Ziemlich weit, wohl mehr als einen oder gar zwei Kilometer, war er damals in die Röhre hineingefahren. Immer wieder.

Bis zu jenem Tag.

Dengler schüttelte sich und stand auf.

Die Röhre verband den Feldsee mit dem Windgfällweiher. Zweimal am Tag wurde überschüssiges Wasser aus dem Feldsee abgelassen. Dann füllte sich die Röhre, und das Wasser schoss in den Windgfällweiher. Georgs Ziel war es immer gewesen, möglichst knapp vor den Wassermassen die Röhre wieder zu verlassen. Er hatte es immer geschafft.

Bis zu jenem Tag.

Als er daran dachte, wunderte er sich, dass er immer noch ruhig blieb. Immer noch wie unberührt. Immer noch, als sei das alles einem ganz anderen Jungen geschehen. Einem Fremden. Und nicht ihm.

Und plötzlich sah er das Bild des Soldaten vor sich.

Florian Singer. In Uniform. Mit dem roten Barett auf dem Kopf. Das gleiche überhebliche Grinsen wie …

Wie hieß der Junge noch, der damals auf dem Dengler-Hof Urlaub machte?

Ferien auf dem Bauernhof.

Sein Freund.

Sein bester Freund für sechs Wochen Sommerferien.

Sie schnitten sich mit Denglers Taschenmesser jeder einmal in die Fingerkuppe. Beide hatten sie vor Furcht die Luft angehalten. Dann legten sie die blutenden Zeigefinger aufeinander.

Im Namen meiner Seele, meines Glaubens, meines Todes schwöre ich dir Treue, Bruder, auch in großer Not. Mein Blut soll das besiegeln, ewig soll der Eid bestehen.

Merkwürdig, dass er sich plötzlich an den Wortlaut ihres Schwurs erinnerte. Beide hatten sie die Formel damals gleichzeitig gemurmelt. Jeder versuchte, sich den brennenden Schmerz nicht anmerken zu lassen.

Für dich will ich sterben, ohne Reue, ohne Angst. Mein Leben für dich geben, wenn du es von mir verlangst.

Diesen Text hatte Florian irgendwo aufgetrieben.

Dengler blieb abrupt stehen.

Das war es. Das hatte ihn am Fall Singer irritiert. Sarah Singers Mann trug den gleichen Vornamen wie sein früherer Blutsbruder.

Florian.

Er versuchte angestrengt, sich an den Nachnamen des Jungen zu erinnern. Er fiel ihm nicht ein.

Singer hieß er auf keinen Fall.

Gut. Der Fall hatte also nichts mit der Sache von damals zu tun.

Erleichtert ging er zu dem roten Stadtmobil zurück, schloss die Wagentür auf und fuhr zum Dengler-Hof. Seine Mutter stand in der Tür, als er in den Hof einbog. Gerade trocknete sie sich die Hände an ihrer Schürze ab.

Am Abend kochte sie. Es gab, wie immer, wenn ihr Sohn zu Besuch kam, Badische Schäufele, Feldsalat und selbst gebackenes Brot.

Nach dem Essen ein Glas Rotwein aus dem Markgräflerland. Die Mutter erzählte von ihren Schmerzen in der Hüfte, die immer schlimmer würden. Der Arzt könne da gar nichts mehr machen. Er überlegte, ob er sie nach dem Namen des Jungen fragen könne. Beiläufig.

Aber seine Mutter berichtete bereits von den Neuigkeiten im Ort. Der Apothekersohn hatte geheiratet. Mit zweiunddreißig. Das müsse man sich mal vorstellen. Im Dorf hatten die Leute schon geglaubt, der würde keine mehr kriegen. Dann erzählte sie, dass es nun eine Schneemaschine gäbe. Künstlicher Schnee, stell dir das mal vor, Georg. Weißt du noch, wie viel Schnee es immer bei uns im Winter gab? Früher.

Dengler wusste es. Er trug noch kurze Hosen, als die ersten Touristen ins Dorf kamen. Einige der Bauernfamilien räumten ihre Schlafzimmer für die neuen Gäste. Der erste Schlepplift, von einem VW-Käfermotor angetrieben. Häufig, wenn geschaltet wurde und die Kupplung für einen kurzen Augenblick blockierte, verloren einige Gäste den Halt und stürzten. Die Jungen standen unten und warteten drauf.

»Georg, hörst du mir überhaupt zu?«

»Ja, doch. Aber ich bin müde. Die Fahrt war anstrengend.«

»Dann lass uns zu Bett gehen. Ich habe das Bett in deinem Zimmer frisch bezogen.«

Dann: »Wir können gar nicht mehr richtig miteinander reden.«

Ja, dachte er, schon lange nicht mehr.

Georg Dengler stand auf.

»Gute Nacht«, sagte er und ging hinauf in sein Zimmer.

Oktober 1999: Italien, Höhlen von Frasassi (1)

Der letzte Test, dachte Colonel John Gordon, dann geht es nach Hause. Schluss mit Italien. Shit.

Die Carabinieri hatten vor zwei Tagen das Gelände um die Höhle abgesperrt. Dringende Sanierungsarbeiten. Einsturzgefahr. Nun gut, nicht besonders einfallsreich, aber wirkungsvoll. Der große Parkplatz unterhalb der Höhle war leer, die vielen kleinen Buden mit den Ferrari-Fahnen, Inter- und AC-Mailand-Trikots, Popcorn, Gelato und dem ganzen Touristenkram geräumt, und sogar die beiden Hotels waren geschlossen worden. Das Personal hatte Sonderurlaub. Bezahlt von der Army. Alles war bereit für den letzten Test. John Gordon zweifelte nicht daran, dass er positiv ausfallen würde.

Zwei große Sattelschlepper hatten bereits gestern das Material und den Humvee mit dem *Active Denial System*, kurz ADS, hergebracht. Eine Kompanie *Marines* bewachte das Ding, das Gelände und die Ausrüstung. Sicherheitsstufe Rot. Quasi Kriegszustand.

Nach dem Test würde der Colonel zu seiner Familie zurückkehren. Nach Cairo. Cairo, Mississippi. Ein gottverlassenes verdammtes Nest. Ohne dass er sich selbst gegenüber Rechenschaft abgab, suchte er noch immer nach einem Grund, in Italien bleiben zu können. Ich mag das Essen, sagte er zu sich. Mittlerweile konnte er Italienisch verstehen und im Restaurant sogar bestellen, und für ein paar Worte mit dem Kellner reichte es auch. Doch mit wem konnte er in Cairo Mississippi Italienisch reden? Dort hatte noch niemand das Wort Tagliatelle gehört. Von allem anderen ganz zu schweigen. Aber Pizza kannten sie. Ungenießbare Pizza mit einem zehn Zentimeter dicken Boden. Und Ketchup aus der Chemiefabrik. Das mochte man dort.

Aber nach diesem Test, so nahm er an, würde er ohnehin befördert werden. General Gordon – das hört sich nach etwas an. Vor allem nach einer sofortigen Auslandsverwendung. Nein, an seiner Beförderung zweifelte er nicht. Diese Sache hier, die er jetzt abschloss, und zwar erfolgreich abschloss, war ein verdammt heißes Ding. Ganz heiß. Und er war einer der wenigen, die sich halbwegs damit auskannten.

Sicher, da war die Sache in West Point. Ob die noch in seiner Akte stand? Wahrscheinlich nicht, aber er war sich nicht sicher. Verdammt lang her. Damals – mein Gott, er war ja noch Kadett – war er mit einem Ausbilder erwischt worden. Einem Sergeant. In einer verfänglichen Situation. Verdammt verfänglich. Er mit heruntergelassenen Hosen. Und steifem Schwanz. Verdammt steifem Schwanz. Und der Sergeant hatte ihn bis zum Anschlag im Rachen. Es gab eine verdammte Untersuchung. Ohne seinen Alten hätte die Army ihn gefeuert. Wie den Sergeant. Gut, dass ihm das erspart geblieben war. Er mochte die Army. Die Männer, mit denen er zu tun hatte, alle verdammt großartige Kerle. Das Schwitzen. Das Reden. Das Saufen. Die Klarheit. Die Mischung zwischen Wettkampf und Zusammenhalt. Männlich eben. Die kräftigen Körper. All das mochte er an der Army. In seinem Dienstbereich gab es kaum Frauen. Gott sei Dank.

Nach dem Vorfall hatte er getan, was man ihm nahegelegt hatte. Sich eine Frau gesucht. Lydia. Zwei Kinder hatte er, die er nicht verstand und nach denen er sich herzlich wenig sehnte. Fast so wenig wie nach Lydia und – Cairo.

Hier gefiel es ihm. Italien. Mit diesen Leuten, die ständig redeten. Die verdammten Italiener quasseln den ganzen lieben langen Tag. Er dachte oft darüber nach, ob in Italien mehr geschah als in den Vereinigten Staaten. Und die Menschen sich deshalb hier mehr zu erzählen hatten. Hier passierte jedenfalls mehr als in Cairo, Mississippi. Ihn schüttelte es, wenn er daran dachte, dass er in ein paar Tagen schon in diesem trüben Kaff sitzen und in einem Burger herumstochern würde.

Rom gefiel ihm. Ah, Rom. In der letzten Zeit saß er oft im *Caffè Greco* in der Via Condotti. Nahe der Spanischen Treppe. Schönes Café, sicher. Verdammt hohe Preise. Aber schönes Café. Ein deutscher Dichter, Goethe, hat hier Teile der »Iphigenie auf Tauris« geschrieben. Sollte er vielleicht mal lesen. Rote Samtpolster. Die Geräusche des Cafés mochte er, das Klappern der Teller und das leise Fauchen der Kaffeemaschinen. Doch erst vor einer Woche dämmerte ihm, was ihn wirklich hierherzog. Nicht die holzgetäfelten Wände. Nicht allein die Nähe zum Petersdom und seinen Kunstschätzen. Aber der Vatikan war es schon. Genauer, die Priester, die hier saßen. Einen kleinen Espresso tranken. Zu zweit tuschelten. Lachten. In diesen merkwürdigen Gewändern einherschritten. Diesen Kaftanen oder wie man das nannte. In diesen verdammten Frauenkleidern. Am helllichten Tag. Und immer zu zweit. Die versteckten Blicke. Die Gesten. Das Lächeln. Die kleinen, kaum wahrnehmbaren Berührungen in der Öffentlichkeit – Versprechen auf Berührungen ganz anderer Art, später. Ihm brauchte keiner was vorzumachen. Er konnte die Zeichen lesen. Sie standen klar geschrieben, in großen Buchstaben. Wie er sie beneidete. Sie zahlten ihren Espresso, ihren Cappuccino, ihren Kaffee irgendwas und verschwanden dann lächelnd hinter den Mauern des Vatikans. Ihre Blicke, die manchmal prüfend und, verdammt noch mal, manchmal auch zustimmend über ihn glitten.

Er beneidete diese Burschen.

Wirklich.

Nein, er wollte Italien nicht verlassen. Diese ewig quasselnden Italiener fand er gut. Militärisch zwar nicht zu gebrauchen. Aber als Köche und Kellner unschlagbar. Echt nicht zu schlagen. Ein Volk von Köchen und Kellnern. Muss es ja auch geben.

Das Telefon summte.

Irgendein beschissener Captain von der *Moody Air Force Base* aus Georgia war am Apparat.

Wann sie mit dem Kadaver rechnen könnten?

»Morgen früh, eure Zeitrechnung, habt ihr ihn auf dem OP-Tisch«, brüllte er ins Telefon. »Hab ich doch schon zigmal gesagt. Wie es im Ablaufplan steht. Genau so geschieht es auch.«

Er knallte den Hörer zurück. Blöder Affe.

Gordon schaltete den Computer ein. Fuhr das Aggregat hoch. Sssss – summte die Maschine. Futuristisch. Er mochte das. Würde ihm die verdammten Generalssterne einbringen.

Er setzte den Kopfhörer auf. Justierte die Kanone. Kam sich dabei immer wie der verdammte Richtkanonier vor, der er früher einmal gewesen war. Auf einer M155 Panzerhaubitze. Gute Dinger. Sind heute noch im Einsatz. Das hier ist ja auch eine Art Artillerie. Im weitesten Sinne.

Auf dem Bildschirm erschien das Bild des Inneren der Höhle.

Jetzt könnten sie den Nigger bringen. Er schaltete das Mikro ein.

»Bringt ihn rein«, brüllte er und lehnte sich im Sessel zurück.

Auf dem Wipfel

Kurz vor sechs Uhr lag Dengler mit geöffneten Augen in seinem alten Bett. Ein Geräusch hatte ihn geweckt. Es dauerte einen Augenblick, bis er sich erinnerte, dass er zu Hause war.

Es ist nicht mein Zuhause. Nicht mehr, dachte er.

Dann registrierte er, dass die Geräusche von unten, aus der Küche kamen. Seine Mutter kochte Tee und deckte den Frühstückstisch.

Dengler stand auf.

Er ging zum Fenster.

Draußen zogen Nebelschwaden aus dem Tal herauf. Weißgraue Fetzen, die beständig ihre Form änderten, sich auflösten und die in ein paar Stunden gänzlich verschwunden sein würden. Wenn der Nebel heraufzieht, hatte sein Vater erzählt, dann kochen die Hasen unten im Tal zu Mittag.

Er hatte es geglaubt.

Er hatte seinem Vater immer geglaubt.

Er hatte es dem Jungen erzählt, der einmal sein Blutsbruder werden würde.

Der hatte gelacht.

Hasen kochen nicht, die werden gekocht, hatte der gesagt.

Er stand auf, wusch sich, zog sich an und ging hinunter in die Küche zu seiner Mutter.

Sie war wie immer. Als sei keine Zeit vergangen seit seiner Kindheit. Sie redete wieder über die Nachbarin, die erst in der letzten Woche ihren Grauen Star habe operieren lassen. Unten in Freiburg sei sie gewesen. In der Universitätsklinik. Fragte, was sie zum Mittagessen kochen sollte. Wie wäre es mit Schweinelenden und Bratkartoffeln? Oder wolle er lieber Spätzle? Sie habe noch zwei Portionen in der Truhe. Handgeschabt. Und dazu einen Salat. Frisch aus dem Garten. Mit Zitrone angemacht. Und immer eine Prise Zucker dazu. Und dann jammerte sie über die roten Nacktschnecken. So viele wie in diesem Jahr habe es noch nie gegeben. Das liege an dem warmen Winter. So warm wie dieser Winter! Nein, da kann ich mich gar nicht erinnern, dass wir schon einmal einen so warmen Winter gehabt haben. Bierfallen habe ich aufgestellt wegen der Schnecken. Und einen Schneckenzaun um die beiden Salatbeete hat mir der Herr Below gebaut, der freundliche Nachbar, der vor sechs Jahren in den Ort gezogen ist. Du erinnerst dich doch an den, Georg, oder? Der kauft mir doch mittwochs immer sechs frische Eier ab. Den kennst du doch, Georg. Du erinnerst dich doch, Georg, an den Herrn Below. Den Bart hat er jetzt abgenommen.

Nein, Mutter, ich erinnere mich nicht. Ich erinnere mich nicht mehr an alles. Ich kenne unsere Geschichte nicht mehr ganz. Mir fehlt ein Name. Wie hieß der Junge, der damals bei uns in Ferien war? Sag es mir. Erzähl, was du weißt. All das sagte er nicht. Er dachte es.

Und er dachte, wie bezeichnend das für sie war: die unaufhörlich redende Mutter. Der schweigende Sohn, der seinen eigenen Gedanken nachhing. Das Drama zwischen ihnen. Und keine Brücke. Nur beredte Sprachlosigkeit.

★★★

Nach dem Frühstück erledigte er kleine Arbeiten im Haus. Steckte eine neue Halogenlampe ein, die so klein war, dass die Mutter nicht damit zurechtkam. Ersetzte den Spiegel in einem der Gästezimmer. Schraubte eine neue Schuhablage zusammen, die der nette Herr Below von Ikea mitgebracht hatte. Hackte Holz im Hof.

Gegen Mittag war er damit fertig. Die Sonne stand hoch am Himmel. Der Morgennebel hatte sich aufgelöst. Es war warm. Heute war, nach langer Zeit, wieder einmal ein schöner Sonnentag. Er hängte die Axt in die Halterung im Geräteschuppen und stapelte die frischen Holzscheite dahinter auf. Aus der Küche zog Bratenduft herüber.

Unschlüssig wandte er sich um. Doch dann ging er an dem alten Stall vorbei hinaus auf den Winterberg. Er brauchte über den Weg nicht nachzudenken. Es zog ihn den schmalen Pfad hinauf. An dem Haus der Verbindungsstudenten vorbei. Bis dorthin, wo die Laubbäume aufhörten und das Reich der Fichten begann. Noch ein Stück den Weg entlang. Sieh an, eine neue Schonung. Die kannte er noch nicht. Dengler bahnte sich einen Weg durch die jungen Bäume und fand, was er suchte.

Die große Tanne stand noch immer in der Mitte. Die Königin aller Tannen. Die anderen Bäume gruppierten sich in einem großen Kreis um sie herum. Die große, alte, mächtige Tanne. Mit ihren unzähligen Ästen. So viele Äste und alle so nahe beieinander. Als Kind konnte er, wenn er nur erst mal den unteren Ast erklettert hatte, bequem über die folgenden wie auf einer Leiter bis in den Wipfel steigen.

Dengler griff nach dem untersten Ast und zog sich hoch. Wie er es als Kind gemacht hatte. Stieg Ast um Ast hinauf. Er keuchte, als er oben ankam. Mit der Ellenbeuge umarmte er den dünn gewordenen Stamm und hielt sich so fest. Die andere Hand legte er über die Stirn. Endlich konnte er den ganzen Ort übersehen. Das Paradies seiner Kindheit.

Ein Windstoß erfasste den Baum, und Dengler schwankte mit dem Wipfel. Er jauchzte. Er schrie. Er winkte. Niemand sah ihn.

Bedenklich schwankte der Wipfel zur Seite und wieder zurück. Beugte sich, als wollte er seine Last abwerfen. Dengler schrie vor Vergnügen. Und vor Verzweiflung.

Fußspuren

Auf der Rückfahrt rief ihn der Sicherheitschef des Versicherungskonzerns an, für den er zuletzt einen größeren Auftrag erledigt hatte. Sie seien mit seiner Arbeit sehr zufrieden. Positiv – das war offenbar sein Lieblingsbegriff. Denglers Abschlussbericht habe eine positive Resonanz gefunden. Der Bezirksdirektor selbst habe sich positiv geäußert. Es gäbe da einen neuen Fall. Ob Dengler noch Kapazitäten frei habe? Die gleichen Konditionen? Könne man sich morgen treffen? Zum Mittagessen? Das wäre positiv.

Dengler sagte zu. Kein Ausgesorgt-Fall. Das nicht, aber trotzdem gut bezahlt.

Mit Sarah Singer hatte er noch nicht über die Bezahlung seiner Dienste gesprochen.

Er griff nach seinem Funktelefon und rief sie an.

»Singer«, meldete sie sich.

Ihre Stimme klang atemlos.

»Störe ich?«

»Nein, ich war nur unten, in der Waschküche.«

Sie schwieg einen kurzen Augenblick.

»Ich glaube, heute Nacht war jemand da«, sagte sie dann.

»Ihr Mann?«

»Ich weiß nicht. Ich habe Fußspuren im Garten gefunden.«

»Ich komme.«

Sie schwiegen.

»Ich habe Angst«, sagte sie leise.

»Ich beeile mich«, sagte Dengler und legte auf.

Draußen wurde es bereits dunkel. Er starrte durch die Windschutzscheibe auf die weißen Mittelstreifen, die unter ihm vorbeisausten.

★★★

Sie stand frierend in der Haustür, als er das Stadtmobil vor ihrem Haus parkte. Sie trug ein dünnes hellblaues Kleid. Darüber hatte sie eine braune Strickjacke gezogen. Den Rücken hatte sie leicht gebeugt, die Hände vor der Brust gekreuzt. In einer Hand eine Zigarette.

Ohne etwas zu sagen, drehte sie sich um und ging ins Haus. Die Tür ließ sie offen stehen.

»Bier, Schnaps, Wein?«, fragte sie mit einer tonlos klingenden Stimme, als Dengler sich in ihrem Wohnzimmer an den Tisch gesetzt hatte.

Er schüttelte den Kopf und bat um ein Glas Wasser.

Als sie aus der Küche zurückkam, stellte sie ein Glas vor ihn und eine Karaffe Wasser. Sie goss sich einen Kaffee aus einer Warmhaltekanne ein.

Und wieder bemerkte Dengler, wie sie ihr Kreuz durchstreckte.

»Ich muss einfach mehr über Ihren Mann wissen«, sagte er.

Sein schwarzes Notizbuch lag vor ihm. Er schlug es auf und zog seinen Füller aus der Hosentasche.

Sie nickte und zündete sich eine neue Zigarette an. Zweimal zog sie daran, dann drückte sie den Glimmstängel mit einer heftigen Bewegung aus.

»Scheiß Kippen«, sagte sie.

»Machen mich kaputt.«

»Das alles macht mich kaputt.«

»Die Kinder sind jetzt bei meinen Eltern.«

»Heute Morgen habe ich den Fußabdruck im Beet vor dem Schlafzimmer gefunden.«

»Ein Spanner ist echt das Letzte, was mir noch fehlt.«

»Wollen Sie den Abdruck sehen?«

Dengler nickte.

Er bat um ein Paar Schuhe ihres Mannes und um eine Taschenlampe. Dann gingen sie durch die Hintertür in den kleinen Garten. Vor einem Salatbeet deutete sie auf den Boden. Dengler nahm ihr die Taschenlampe aus der Hand und leuchtete drei deutlich erkennbare Fußspuren aus. Vorsichtig setzte er den Schuh ihres Mannes darauf.

»Könnte passen«, sagte er.

Sie zog aus der Seitentasche ihrer Strickjacke ein Päckchen Zigaretten, knetete es in der Hand und schob die Packung dann wieder zurück.

Sie gingen zurück ins Wohnzimmer und setzten sich.

»Können Sie sich vorstellen, warum Ihr Mann letzte Nacht vor Ihrem Haus stand?«

»Keine Ahnung.«

»Sie sagten bei unserem ersten Gespräch, Ihr Mann sei krank. Sehr krank. Was meinten Sie damit?«

Wieder zog sie die Schachtel Zigaretten aus der Tasche ihrer Strickjacke, und wieder schob sie sie sofort wieder zurück.

»Weiß nicht, ob es dafür einen Namen gibt. Aber ein anderer Mensch war er, als er aus Afghanistan zurückkam.«

Sie überlegte einen Augenblick.

»Florian war immer ein fröhlicher Mensch. Freundlich. Gutmütig, ja, gütig. Lachte gerne. Das hat mir an ihm gefallen.«

Wie der Florian, den ich gekannt habe, dachte Dengler.

»Gefunkt hat es zwischen uns sofort. Kennengelernt haben wir uns in Tübingen. Im *Sudhaus*. Bei einem Konzert von Taj Mahal. Ich tanzte. Plötzlich war Florian da. Wir tanzten zusammen. Ein Apfelschorle brachte er mir. Verrückt, nicht? Ein Apfelschorle! Dann redeten wir und redeten und redeten. Er wirkte auf mich gar nicht wie ein Soldat. Ich mochte Militär nie. Aber er war … richtig nett. Redete mehr über die technischen Sachen, die er bei der Bundeswehr machte und von denen ich nichts verstand. Ohne die Bundeswehr, sagte er, hätte er nie die Chance gehabt, sich mit diesen komplizierten Maschinen zu beschäftigen. Er hatte sich mit achtzehn für diesen Weg entschieden. Für ihn war es auch eine Möglichkeit gewesen, dem Elternhaus zu entkommen. Und an Krieg dachte er damals so wenig wie ich. So redeten wir, bis sie zurückmussten.«

»Sie?«

»Florian und seine drei Kumpels. Sie mussten zurück in die Kaserne.«

»Nach Calw?«

»Nach Calw.«

»Wie heißt die Kaserne?«

»Graf-Zeppelin-Kaserne.«

»Die Einheit?«

Sie zögerte.

»Das ist diese hoch geheime Einheit, Sie wissen schon.«

Dengler nickte.

Er sagte: »Trotzdem. Wie hieß seine Einheit? Die Kompanie, das Bataillon?«

Sie senkte den Kopf.

»Ich weiß es nicht«, sagte sie leise. »Ich weiß nichts über diese militärischen Dinge. Die Soldaten wurden alle zum Stillschweigen verdonnert. Selbst gegenüber ihren Frauen.«

»Und Florian hielt sich daran?«

Sie nickte.

»Im Netz habe ich aber ihre Homepage gefunden. Die hab ich mir manchmal angeguckt, wenn ich Sehnsucht nach Florian hatte. Oder mir Sorgen um ihn machte. Aber da erfährt man natürlich auch nichts.«

»War Ihr Mann schon lange dabei?«

»Seit 2000.«

»Was waren seine Aufgaben?«

»Er durfte mit mir auch darüber nicht reden. Die Soldatenfrauen dürfen nicht erfahren, was ihre Männer machen, nicht einmal, wo sie sind.«

Wütend griff sie in die Seitentasche, in der die Zigaretten lagen.

»Pervers«, sagte sie und zog die Hand wieder heraus.

»Aber irgendwas wird er Ihnen doch sicherlich erzählt haben?«

»Klar. Am Anfang. Florian war ursprünglich bei einer technischen Einheit. Spezialist für ein bestimmtes Gerät. Dann wurde er versetzt. Nach Calw. Ich weiß leider nicht mehr, für welches Gerät. Als ich ihn kennenlernte, war er mehr ein Technikfreak als ein Soldat.«

»Sie haben angedeutet, dass es einen Kollegen gab …«

»Kameraden heißt das bei denen«, sagte sie. »Ich kenne nur einen. Mit dem sind wir einmal ausgegangen. Das war sein Buddy, sein engster Kumpel. Irgendwie.«

»Erinnern Sie sich an den Namen?«

»Ja. Klaus heißt er. Wir waren zusammen auf dem Cannstatter Volksfest. Es müsste sogar noch ein Foto geben. Die beiden Männer haben an einem Stand mit Luftgewehren geschossen. Es wird ein Bild gemacht, wenn man trifft, wissen Sie? Vielleicht habe ich das noch.«

Sie stand auf und ging. Nach einer Weile kam sie mit einem Polaroidfoto zurück. Zu sehen waren ein Mann und Sarah Singer, ein zweiter Mann, wahrscheinlich Florian Singer, der eine kleinkalibrige Waffe angelegt hatte, die sein Gesicht verdeckte.

»Das sind Klaus und ich. Florian schießt gerade. Klaus hieß Holzer mit Nachnamen, jetzt fällt es mir wieder ein.«

»Darf ich es mitnehmen?«

Sie nickte.

»Welchen Dienstgrad hatte dieser Klaus?«

»Die beiden sind Stabsfeldwebel. Florian sollte in drei Monaten befördert werden.«

»Wann war er das erste Mal im Ausland?«

»Nach dem 11. September. Kurz nachdem die Amerikaner Afghanistan angriffen, gingen die Calwer auch dahin. Florian war beim ersten Einsatz dabei. Er sagte es mir, obwohl er es nicht durfte.«

Wieder streckte sie ihr Kreuz durch, und auch Dengler straffte sich.

»Wissen Sie, was er dort getan hat?«

Sie schüttelte den Kopf.

»Kein Wort hat er mir gegenüber über den Einsatz verloren.«

»Kein Wort?«

»Kein Wort.«

»Wie oft war er dort? Und wie lange?«

»Er verschwand immer wieder. War monatelang weg. Und jedes Mal kam er verstörter zurück.«

»Verstörter?«

»Ja. Er wurde mir immer fremder. Er schlief nicht mehr. Oder kaum noch. Zwei Stunden, drei. Höchstens. Wälzte sich im Schlaf, von Albträumen gequält. Einmal würgte er mich im Schlaf. Ich dachte, er bringt mich um. Doch er wurde gerade noch rechtzeitig wach und war entsetzt über sich.«

Sie schwieg erschöpft.

»Dann kapselte er sich völlig ab. Von den Kindern. Von mir. Vorher klappte es immer. Im Bett. Zwischen uns. Es war immer richtig gut mit ihm. Dann lief nichts mehr. Nicht von mir. Von ihm aus, verstehen Sie?«

Was für ein Jammer, dachte Dengler.

»Er saß ganze Wochenenden unten in seinem Zimmer und spielte auf dem Computer. Aber was für Spiele! Scheußliche Killerspiele. Die haben sie von amerikanischen Soldaten, glaube ich. Vietnam. Irakspiele. Blut, Gewalt, Vergewaltigungen, alles kommt darin vor. Gibt es nur unter den Soldaten. Florian, verstehen Sie? Der liebe, liebe Mann. Der witzige Mann. Der Mann, den ich liebte. Immer mehr wurde er zu einem … Monster.«

Sie sah ihn an und drückte wieder das Kreuz durch, so, als gäbe ihr das mehr Halt in ihrem Leben.

»Er ging nicht mehr aus dem Haus. Alles war ihm zu viel. Reden wollte er nicht. Keinen Lärm durften die Kinder mehr machen, wenn er da war. Es herrschte hier eine Stimmung wie – wie auf einem Friedhof.«

»Wie auf einem Friedhof«, wiederholte sie.

»Und seine Vorgesetzten? Haben die nichts bemerkt?«

»In der Kaserne funktionierte er. Dort schien man nichts zu bemerken.«

»War er bei einem Arzt?«

»Sie meinen, bei einem … Therapeuten?«

»Ja.«

»Ein richtiger Mann geht nicht zu einem Seelenklempner«, sagte sie bitter.

»Schlug er Sie?«

Sie sah ihn an. Offen und ohne Furcht.

Diese Frau lässt sich von keinem Mann schlagen, dachte er.

Sie hielt seinem Blick stand.

Dann nickte sie.

»Ja, das tat er …«

Sie schüttelte den Kopf, griff nach den Zigaretten, und Dengler wechselte rasch das Thema.

»Haben Sie seine Kontounterlagen? Ich brauche möglichst alle …« Doch sie hatte das Zimmer schon verlassen. Nach einigen Minuten kam sie mit fünf Ordnern zurück.

»Da ist alles drin«, sagte sie.

Er stellte weitere Fragen, und sein Notizbuch füllte sich.

Beste Sicht

Er hatte den Wagen unter dem Schatten der alten Linde geparkt. Bis hierhin reichte das schwankende Licht der Straßenbeleuchtung nicht. Den Fahrersitz drehte er weit herunter, sodass man von Weitem nicht sehen konnte, dass jemand hinter dem Steuer saß. Trotzdem konnte er so den Eingang von Sarahs Haus gut beobachten. Vor der Tür stand noch immer der lächerliche rote Kleinwagen des Stuttgarter Carsharing, angestrahlt von der Außenleuchte über der Eingangstür.

Beste Sicht also.

Als der Typ das Haus verließ und zu dem Stadtauto ging, schraubte er den Sitz wieder hoch und startete den Motor.

Die Nutte hatte es sich von dem Kerl wieder richtig lange besorgen lassen.

Sie würden es beide büßen.

Tunnelblick

Am nächsten Tag frühstückte Dengler mit Martin Klein und Olga in *Herbertz Espressobar*. Die Toten in dem Luftschutzbunker waren immer noch das große Thema. Martin Klein erzählte, dass man keine Spur habe und die Polizei offensichtlich nicht wüsste, wo die Männer verbrannt und wie die Leichen wieder in den Keller zurückgebracht worden seien. Alle Bunker der Stadt seien geschlossen worden. »Wenn ich dieses Geheimnis lüften könnte«, sagte er, »dann könnte ich endlich mal den Kriminalroman schreiben, der mir schon so lange vorschwebt.«

Olga lachte. Und Georg grinste. Sie wussten, dass es Kleins großer Traum war, einmal einen Kriminalroman zu schreiben. Einen mit festem Einband. Mit seinem Bild auf dem Klappentext und einem Zitat aus der *Süddeutschen Zeitung*, dass man diesen Roman unbedingt gelesen haben sollte. Dann könnte er endlich seinen Job als Horoskopschreiber für die wichtigsten deutschen Frauenzeitschriften aufgeben. Nach dem Frühstück ging Dengler in sein Büro. Er nahm sich ein weißes Blatt aus dem Schacht des Druckers und legte es vor sich auf den Tisch. Wie sollte er in dem Fall Singer weiter vorgehen?

Er schrieb:

Kontakt mit seiner Einheit aufnehmen.

Mit Klaus Holzer sprechen.

Mit dem Hamburger Krankenhaus sprechen.

Er überlegte weiter: Wenn Florian Singer aus dem Hamburger Krankenhaus verschwunden war, galt er als fahnenflüchtig, zumindest als eigenmächtig von der Truppe abwesend?

Suchen die Feldjäger bereits nach der Zielperson?

Die Ordner mit den Kontoauszügen durcharbeiten.

Im Internet fand er die Telefonnummer der Graf-Zeppelin-Kaserne in Calw. Er wählte.

»Graf-Zeppelin-Kaserne«, meldete sich eine männliche Stimme.

»Mein Name ist Georg Dengler. Ich ermittle in der Sache des verschwundenen Soldaten Florian Singer. Bitte verbinden Sie mich mit seinem Bataillonstab.«

»Moment«, sagte die Stimme. »Bleiben Sie am Apparat.«

Dengler wartete.

Ein Minute.

Zwei Minuten.

»Bitte geben Sie mir Ihre Adresse und die Telefonnummer. Wir rufen Sie zurück.«

Nach kurzem Überlegen nannte Dengler beides.

Dann wählte er die Nummer des Hamburger Krankenhauses. Er ließ sich mit Professor Bartsch verbinden, dem Arzt, der Singer zuletzt behandelt hatte.

»Ich spreche mit niemandem, schon gar nicht am Telefon, über meine Patienten«, sagte dieser.

»Florian ist ein enger Freund. Ich weiß Bescheid über seinen Zustand. Ich würde nur gern etwas über das allgemeine Krankheitsbild erfahren.«

»Ich kann Ihnen dazu nicht viel sagen. Nur so viel: Es könnte sich um ein Posttraumatisches Belastungssyndrom handeln.«

»Was heißt das?«

»Stellen Sie sich einfach einen Tunnelblick vor.«

***

Als Dengler den Hörer aufgelegt hatte, blieb das Wort *Tunnelblick* in seinem Gedächtnis haften.

Tunnelblick. Er versuchte, das Wort aus seinem Kopf zu verdrängen. Es gelang ihm nicht. *Tunnelblick* hatte sich festgesetzt wie ein Song, den man beim Aufstehen hört und der einem den ganzen Tag nicht mehr aus dem Kopf geht.

Er saß still und dachte an nichts anderes.

Tunnelblick.

Plötzlich sah er den Tunnel vor sich. Den gemauerten Eingang der Röhre, die vom Feldsee zum Windgfällweiher führt. Und er sah sich. Auf dem neuen Fahrrad. Dem grünen. Er sah, was er damals nicht beachtet hatte. Die vier Latten, die jemand an den Rand des Weihers geworfen hatte oder die dort angeschwemmt geworden waren. Er winkte seinem Blutsbruder zu. Komm mit! Ich komme, rief der zurück. Dengler sieht sich das grüne Rad durch das flache Wasser zum Tunneleingang schieben. Sich auf das Rad setzen. Losfahren. In den ersten Gang schalten. Dem Blutsbruder noch einmal zuwinken.

Das Licht, das vom Eingang in den Tunnel fiel, wurde bereits nach wenigen Metern Fahrt schwächer, verblasste dann ganz, und schließlich herrschte völlige Dunkelheit in der Röhre, stroboskopartig durchzuckt vom unregelmäßigen Flackern der Fahrradlampe. Schwer zu fahren war es trotzdem nicht, denn das Rad suchte sich fast von allein den Weg. Unheimlich, das war es schon. Dem schaurigen Gefühl entging er, indem er kräftig in die Pedale trat. Georg wollte seinem Blutsbruder imponieren. Es war der zweite Ferientag. Florian war wieder auf dem Hof. Der kleine Dengler hatte diese Fahrt in der Zwischenzeit oft geübt und wusste, dass sie im Grunde kein Risiko barg. Er kannte die Uhrzeiten, zu denen das Wasser vom Feldberg in den Tunnel schoss, und er hatte Übung. Er würde mit dem Rad aus dem Tunnel schießen, und hinter ihm würde knapp danach das Wasser kommen. Das war der Plan.

Als es Zeit war, drehte er um. Das war mit dem Rad in dem Tunnel nicht einfach, aber auch das hatte er geübt. Wenn er das Vorderrad zur Seite klappte, ging es ganz einfach. Dann fuhr er zurück. Der Tunnel lief nun leicht bergab. Er konnte schneller fahren. Er trat kräftig in die Pedale. Die Lampe, vom surrenden Dynamo angetrieben, flackerte etwas heller.

Trotzdem sah er das Hindernis nicht. Es hätte gar nicht da sein dürfen. Er krachte mit dem Vorderrad dagegen, das Hinterrad hob sich, und Georg wurde über die Lenkstange geschleudert. Er knallte mit dem Kopf gegen das Hindernis und verlor das Bewusstsein.

Als er wieder zu sich kam, floss das Wasser bereits. Es war kalt. Erst floss wenig, zehn Zentimeter hoch, vielleicht auch fünfzehn. Aber der Pegel stieg rasch an. Georg rappelte sich auf, kroch unter dem Fahrrad hervor. Er zog sich an dem Hindernis hoch, und es dauerte eine Weile, bis er begriff, was es war. Jemand hatte die Latten, die vorhin noch am Ufer des Weihers gelegen hatten, in die Röhre geschleppt, quer gestellt und mit der Röhrenwand verkantet, sodass ihm jetzt der Rückweg versperrt war.

Langsam, ganz langsam wurde ihm bewusst, dass dies nur Florian getan haben konnte. Das Entsetzen darüber war stärker als die Angst vor dem Wasser, das nun schnell stieg. Er zerrte an einer Latte, aber er war noch zu benommen, als dass er genügend Kraft gehabt hätte, sie wegzuziehen. Sein rechter Fuß hatte sich in den Speichen des Vorderrades verhakt. Er bückte sich, um das Vorderrad anzuwinkeln, kam frei, dann richtete er sich wieder auf, um das Rad wegzuschieben.

In diesem Augenblick kam das Wasser.

Es erfüllte die Röhre und warf Georg mit einem Hammerschlag gegen die Latten. Das Rad bäumte sich unter dem Wasserdruck ein zweites Mal auf und wurde gegen Georg geschleudert. Er bekam keine Luft mehr und krallte sich an eine der Latten. Schluckte Wasser, Panik erfasste ihn. Er ruderte mit den Armen, schluckte noch mehr Wasser, schlug um sich, Todesfurcht packte ihn. Und dann verlor er das Bewusstsein.

Dengler erwachte aus dieser Erinnerung wie aus einem schweren Traum.

Tunnelblick – dieses Wort hatte ihn zurückgeworfen.

So viele Jahre hatte er nicht mehr daran gedacht. Und noch heute wusste er nicht, was schwerer wog: die Enttäuschung, dass Florian ihn fast umgebracht hatte, oder die Panik in der Röhre voller eiskaltem Wasser.

Er nahm das Bild von Florian Singer aus der Schublade und betrachtete es lange. Nein, es gab keine erkennbare Ähnlichkeit.

Oder doch?

Er griff zum Hörer.

Sie muss mit mir reden.

Er musste es wissen.

Seine Mutter hob nach dem dritten Klingeln ab.

»Ach Georg, das ist schön, dass du anrufst«, sagte sie.

»Ich muss etwas von dir wissen.«

»Ja, frag nur. Ich bin gerade beim Kochen. Schade, dass du so weit wegwohnst, sonst könntest du zum Essen kommen.«

»Ich bin schon zum Essen verabredet. Ich wollte von dir etwas wissen. Du erinnerst dich doch an die ersten Feriengäste? An den Jungen aus Freiburg.«

»Feldsalat gibt es auch. Den hast du doch immer so gerne gegessen.«

»Den Jungen. Florian hieß er mit Vornamen. Erinnerst du dich?«

»Die Spätzle sind immer noch in der Truhe.«

»Mutter, erinnerst du dich?«

»Ach Junge, lass doch die alten Sachen ruhen. Das ist alles schon lange her. Wann kommst du mich wieder mal besuchen?«

»Es ist wichtig. Wie hieß der Junge mit Nachnamen?«

»Herrje, Junge, das ist so lange her.«

»Versuch es. Hilf mir.«

»Und wer hilft mir? Ich bin allein auf dem Hof. Die Pension. Wenn mir Marios Mutter nicht ab und zu helfen würde, ich wüsste nicht, wie …«

»Wie hieß der Junge?«

»Ich hab's vergessen.«

Ihre Stimme klang nun trotzig.

»Hieß er Singer?«

Sie gab keine Antwort, sondern schien einen Augenblick lang nachzudenken.

»Nein. Singer hieß er nicht. Ich glaube, der hieß Metzger oder so ähnlich. Irgendwas mit Metzger, Metzler oder Schlachter, glaube ich. Aber Singer? Nein.«

»Ich danke dir, Mutter«, sagte Dengler und legte auf.

Er sah auf die Uhr. Zeit für das Mittagessen mit dem Sicherheitschef der Versicherung. Er verließ sein Büro und ging durchs Bohnenviertel hinüber ins Gerichtsviertel.

Es wurde ein angenehmes Gespräch. Die Versicherung sei höchst zufrieden mit seiner Arbeit, bestätigte der Mann und sprach wieder von der großen »positiven« Resonanz auf Denglers Abschlussbericht. Kein Wunder, dachte Dengler, die Burschen haben durch mich ein Vermögen eingespart. Sie saßen im Freien unter großen Bäumen und unter blauem Himmel im *Ristorante Piazza*, und als sie sich zum Abschied die Hand gaben, hatte Dengler einen neuen Auftrag.

Jakob

Um halb drei Uhr traf Dengler seinen Sohn. Jakob war der eigentliche Grund, warum er nach Stuttgart gezogen war. Während seiner Zeit beim BKA in Wiesbaden hatte er Hildegard in einer Bar kennengelernt und sich sofort in sie verliebt. Nach einem Dreivierteljahr wurde sie schwanger, und sie heirateten sechs Wochen nach dem erfolgreichen B-Test. Dengler ging in die Ehe mit dem sicheren Gefühl, dass es diesmal die Richtige war. Oder anders ausgedrückt: Wenn es überhaupt so etwas wie die Richtige im Leben gab, dann war es Hildegard. Sie war dunkelhaarig, hochgewachsen, erinnerte ihn in Aussehen und Haltung an eine Spanierin. Tatsächlich besuchte sie einen Flamencokurs für Fortgeschrittene an der Wiesbadener Volkshochschule. Manchmal legte sie abends eine *Bulería* auf, zog ihr andalusisches Kostüm und die Schuhe mit den speziellen Absätzen an und tanzte nur für ihn. Zumindest so lange, bis sie sich im Bett wiederfanden oder die Nachbarn klopften.
Er mochte ihre Begeisterung. Ihre Begabung, sich ganz einer Sache hinzugeben. Etwas hundertprozentig zu tun. Darin war sie so ganz anders als er. Dengler wendete eine Sache zehnmal, hundertmal im Kopf hin und her, bevor er sie für richtig hielt oder für falsch. Dengler, der Grübler, so nannten sie ihn im Amt. Nicht ohne Grund: analysieren, erwägen, verwerfen, prüfen – das lag ihm schon immer, aber beim BKA vertiefte und verfestigte sich dieser Charakterzug, sodass er schließlich zu ihm gehörte wie eine zweite Haut.
Es überraschte ihn, als Hildegard ihre Begeisterung für den Flamenco von einem Tag zum anderen verwarf. Sie wandte sich dem Tango zu. Erstaunt erlebte Dengler, dass die gleichen Argumente, die den spanischen Tanz früher für sie einmalig machten, nun für den argentinischen ins Feld geführt

wurden. Er war mit Jakob zum ersten Mal sechs Wochen allein, als Hildegard einen Kurs in Buenos Aires buchte. Danach hatte sie in Wiesbaden einen gewissen Ruf als Tangospezialistin, verdiente sogar zum ersten Mal spürbar zum Familieneinkommen dazu, als sie Tangolehrerinnen ausbildete.

Dem Tango folgte der Feminismus. Die Penetration, der männliche Anteil am Geschlechtsakt, wie Dengler es einmal verlegen hüstelnd und umständlich ausdrückte, sei der adäquate Ausdruck – auch diesen Jargon gewöhnte sich Hildegard in dieser Zeit an – für die Unterdrückung der Frau durch den Mann. Den vorsichtigen Einwand Denglers, er habe bisher den Eindruck gewonnen, dass sie das nicht als Übel empfunden habe, konterte sie: Ja, das stimme, aber auch sie sei noch rückständig. Auch sie habe sich noch nicht genügend frei gemacht von den Methoden männlicher Vorherrschaft.

Dengler stürzte in eine seiner schwersten Krisen. Er zweifelte an seiner Wahrnehmung. Nachts schien sie die Penetration, die sie tagsüber verteufelte, genauso zu genießen wie er. Also las er feministische Literatur. Er wollte wissen, wie Frauen, diese ihm plötzlich unverständlich gewordenen Wesen, wirklich funktionierten. Sie gab ihm Verena Stefans *Häutungen*, das den Untertitel *Autobiographische Aufzeichnungen, Gedichte, Träume, Analysen* trug und sich genauso las. Er beschäftigte sich mit klitoralen und vaginalen Orgasmen, studierte prä- und postmenstruelle Beschwerden. Als ihm die Besitzerin des kleinen Frauenbuchladens, dessen bester Kunde er bald wurde, den *Tod des Märchenprinzen* von Svende Merian in die Hand drückte, das er in einer Nacht las, glaubte Dengler zum ersten Mal die Frauen zu verstehen. Eine Frau verliebt sich in einen Typ, der eigentlich nichts von ihr will. Kann passieren, dachte er am Anfang, geschah mir umgekehrt schon öfter. Doch die Konsequenz, mit der sie ihn belämmerte, imponierte Dengler. Zu seiner Überraschung rastete Hildegard aus, als sie ihn mit diesem Buch erwischte. Es sei schlecht geschrieben, sagte sie, gäbe nicht den aktuellen Stand der Diskussion wieder, und überhaupt, wieso lese er heimlich Frauenromane?

Nach dem Feminismus kam die Mitgliedschaft bei den Grünen. Sie brachte es immerhin zu einer Delegierten auf einem Bundeskongress. Dann wurde sie militante Nichtraucherin. Es folgte eine längere esoterische Phase, in der ihr armes Kind in einen anthroposophischen Kindergarten wechseln musste und gezwungen wurde, absurde eurythmische Tänze aufzuführen. Dann entdeckte sie die Homöopathie. Dann die Astrologie. Immer gab es irgendetwas, das Hildegard in Beschlag nahm. Die Farben wechselten zwar, aber immer gab es eine Fahne, die ganz hoch gehalten wurde.

Dann wurde auch Georg ausgetauscht. Gegen einen Busverkäufer aus Stuttgart. Und Hildegard entdeckte nun ihre Vorliebe für das bürgerliche Leben. Sie nahm den Sohn und zog nach Stuttgart. Die Scheidung erfolgte ein Jahr später.

★★★

Dengler traf sich mit Jakob auf den Stufen neben dem neuen Kunstmuseum am Kleinen Schlossplatz. Wie groß er geworden war! Jedes Mal wunderte er sich darüber. Bald wird er größer sein als ich.

In Jakobs Ohren steckten zwei Stöpsel des iPods, die zwei weißen Kabel verloren sich irgendwo in seiner Kleidung.

»Kann ich mal hören?«, fragte Dengler.

Jakob nickte und reichte ihm die Kopfhörer. Dengler steckte sie etwas umständlich in seine Ohren. Er hörte einen Rap in deutscher Sprache.

Wenn der Vorhang fällt sieh hinter die Kulissen
Die Bösen sind oft gut und die Guten sind gerissen
Geblendet vom Szenario erkennt man nicht
Die wahren Dramen spielen nicht im Rampenlicht

Georg Dengler lachte.

»Guter Text – sollte auch ein Grundsatz der Polizeiarbeit sein.«

Jakob verstand die Bemerkung nicht.

»Freundeskreis«, sagte er, und jetzt begriff Dengler nicht.

»So heißt die Band: Freundeskreis.«

»Ach so«, sagte Dengler.

★★★

Üblicherweise gingen sie an ihren gemeinsamen Nachmittagen ins Kino. Aber heute hatte Jakob andere Pläne.

»Lass uns durch die Stadt laufen«, sagte er.

»Einfach so?«

»Einfach so.«

Zielstrebig wandte sich der Junge um und ging mit schlaksigen Schritten die Treppe hinauf auf die Platte hinter dem Museum. Ein angesagtes Café war hier, eine Galerie, ein beliebtes italienisches Restaurant, ein Gebäude der in der Innenstadt allgegenwärtigen Landesbank, ein Modegeschäft und ein moderner Imbiss mit frisch gepressten Obstsäften.

Neben dem Italiener stand ein Geländewagen, ein Porsche Cayenne, im absoluten Halteverbot. Jakob steuerte direkt auf den Wagen zu, als wäre es sein eigener.

Vor dem Wagen griff Jakob in die Innentasche seiner weiten Steppjacke, zog ein Blatt heraus und steckte es dem Wagen unter den Scheibenwischer. Dann ging er weiter.

Dengler war verwirrt.

»Verdienst du dir was dazu?«, fragte er. »Trägst du Werbezettel aus?«

»Quatsch«, sagte der Junge und lief zu einem schwarzen Mercedes-Geländewagen, der in einer Parkbucht in der Theodor-Heuss-Straße stand und Dengler so groß wie ein Panzer vorkam.

Wieder steckte Jakob einen Zettel unter die Windschutzscheibe.

»Was sind das für Zettel?«, fragte Dengler.

Mit einer Geste, die wohl beiläufig und cool wirken sollte, griff Jakob in seine Jacke, zog ein Blatt heraus und reichte es ihm.

Dengler las:

Stoppt die **Klimakatastrophe.**
Zum Beispiel durch die **Stilllegung**
dieser **Dreckschleuder.**

Er blieb abrupt stehen und sah seinen Sohn an.

»Du kannst doch nicht einfach ... Ich meine, ist das denn *erlaubt*?«

Jakob lachte. Lachte ihn aus.

»Du bist doch kein Bulle mehr. Was soll denn daran verboten sein? Wenn das Werbung für irgendeinen Mist wäre, würdest du dich auch nicht daran stören, oder?«

Im Geiste blätterte Dengler durch die Gesetze und Verordnungen, die ihm in den Sinn kamen. Aber er fand keine, die gegen Jakobs Aktion sprachen.

»Flugblattaktionen muss man doch anmelden«, sagte er, nicht ganz überzeugt.

»Das sind Flyer. Flugblätter klingt eher nach – deiner Zeit«, sagte der Junge und steuerte erneut auf einen Porsche Cayenne zu.

»Diese Kiste bläst fast 400 Gramm CO_2 in die Luft. Pro Kilometer«, sagte Jakob und klemmte einen seiner Flyer hinter den Scheibenwischer. »Dreckschleuder ist echt noch ein höflicher Ausdruck.«

Dengler folgte ihm zögernd.

»Mama meinte, dass du das bestimmt nicht gut findest«, sagte Jakob. »Einmal Bulle – immer Bulle, hat sie gesagt.«

»So ein Quatsch«, sagte Dengler.

Und dann: »Gib mir mal einen Stapel.«

Jakob griff grinsend in seine Tasche.

Dann machten sie sich zu zweit an die Arbeit.

Den Mann, der sie dabei verfolgte, bemerkten sie nicht.

Höllenfeuer

Als der Kirchturm drei Uhr schlug, wachte Georg Dengler auf. Es war nachtstill in seiner Wohnung, aber er spürte die Gefahr. Etwas war da. Hier. In seiner Wohnung. Leise rief er Olgas Namen. Niemand antwortete. Dann lag er bewegungslos, hellwach und horchte. Draußen regnete es. Mehr hörte er nicht. Trotzdem: Er war nicht allein in der Wohnung.

Leise schob er die Bettdecke zur Seite, wartete einen Moment, bevor er aus dem Bett glitt. Er war sich sicher, dass jemand in der Wohnung oder im angrenzenden Büro war.

Im Halbdunkel sah er sich nach einer Waffe um. Seine Pistole lag im Safe des Büros, war im Augenblick also unerreichbar für ihn. Und er war nackt. Schlechte Voraussetzungen, um einem Einbrecher entgegenzutreten. Vorsichtig griff er nach der hölzernen Marienstatue. Er hielt sie in der erhobenen Rechten, bereit zum Zuschlagen, und schlich hinüber zur Küchentür, drückte leicht dagegen, bis sie sich öffnete.

Nichts.

In der Küche war kein Einbrecher. Auf Zehenspitzen ging er hinüber zum Wohnzimmer, dessen Tür er immer offen stehen ließ. Aber auch da war niemand zu sehen.

Blieb nur noch das Büro. Dessen Tür war geschlossen. Vorsichtig, sich für jeden Schritt Zeit nehmend, bewegte sich Dengler hinüber und legte sachte sein Ohr an die Tür. Er lauschte und hörte – nichts. War der Mann auf der anderen Seite gewarnt? Hatte er ihn gehört?

Ihm wurde kalt. Blitzschnell drückte er die Klinke herunter und sprang mit einem Satz, die Marienstatue in der erhobenen Hand, in den Raum – bereit zum Zuschlagen.

Sein Büro war leer.

Es gab keinen Einbrecher.

Erstaunt registrierte er, dass er mehr enttäuscht als erleichtert war. Wie hatte er sich so irren können? Er wäre jede Wette eingegangen, dass jemand in seine Wohnung eingedrungen war. Hatten ihn seine Polizeiinstinkte verlassen?

Ratlos ging er zurück ins Schlafzimmer, stellte die Mutter Gottes zurück auf ihr Podest und kroch unter die Bettdecke. Das Adrenalin, das durch seine Blutbahnen schoss, sorgte dafür, dass er hellwach blieb. Dengler griff nach dem neuen Buch von Heinrich Steinfest, das in Stuttgart spielte, ihn aber nicht nur wegen der bekannten Schauplätze interessierte. Aber er konnte sich nicht konzentrieren. Schon nach drei Seiten merkte er, dass er vergessen hatte, was er noch eine Seite zuvor gelesen hatte. Er löschte das Licht und fiel in einen unruhigen Schlaf.

Das zweite Mal weckte ihn ein stechender Schmerz in der Brust. Mit einer heftigen Bewegung riss er die Bettdecke zur Seite und fuhr sich mit der Hand den Oberkörper entlang. Er konnte den genauen Ort des Schmerzes nicht lokalisieren. Der Brustkorb brannte. Er knipste die Nachttischlampe an und untersuchte seine Brust. Leichte Rötungen. Mehr nicht.

Aber das Brennen wurde unerträglich und trieb ihm Tränen in die Augen. Es fühlte sich an, als würde in seinem Innern ein Höllenfeuer wüten.

Er sprang aus dem Bett und lief hinüber ins Bad. Er rieb seine Brust mit einem Waschlappen ab. Der Schmerz klang ab.

Ich bin nicht mehr der Jüngste, dachte er. Ich muss zu einem Herzspezialisten gehen. Zu dumm, dass ich schon so lange keinen Gesundheitscheck mehr gemacht habe. Olga würde jetzt sagen, dass der Körper mir ein Warnsignal schickt. Nimm es ernst, würde sie sagen.

Ich bin ein Mann mittleren Alters.

Gerade als er den Waschlappen auf das Becken zurücklegte, erfolgte die zweite Attacke. Ein siedender Schmerz explodierte auf seinem Rücken. Seine Beine gaben nach. Er rutschte auf den Boden. Für einen kleinen Augenblick ließ das Glühen nach, aber nur um ihn dann mit doppelter Kraft zu beherrschen. Dengler stöhnte laut auf, dann knickte er ein und fiel zu Boden. Er wälzte sich vor der Badewanne. Wieder verschwand das Brennen. Doch kaum hatte er zweimal durchgeatmet, detonierte eine neue Ladung in seiner Brust. Dengler übergab sich im Liegen. Er robbte an der Badewanne entlang zurück zur Badezimmertür. Der Schmerz verebbte. Bewegung scheint die Schmerzen zu lindern, dachte er.

Er brauchte Hilfe.

Olga rufen.

Er war sich nicht sicher, ob er es bis zur Wohnungstür schaffen würde. Dengler torkelte zurück ins Schlafzimmer und zog das Handy aus der Hosentasche seiner Jeans.

Er versuchte Olgas Nummer zu wählen, aber das Funktelefon blieb dunkel.

Akku leer?

Das konnte nicht sein.

Dengler drückte alle Tasten, aber das Gerät reagierte nicht.

Dann stand er still und wartete.

Er hatte Angst.

Er musste einen Notarzt rufen.

Langsam und schwer atmend, Schritt für Schritt bedenkend, ging er auf die Tür seines Büros zu. Dort stand das Festnetztelefon.

Da erfolgte der nächste Angriff. Wieder in die Brust. Sengende Hitze durchdrang ihn. Er schnellte mit letzter Kraft hinüber zur Tür, öffnete sie und betrat sein Büro.

Nun hatte er wieder das Gefühl, jemand sei in seiner Wohnung. Etwas würde nach ihm tasten. Nach ihm greifen. In der Dunkelheit nach ihm suchen. Und es fand ihn. Diesmal traf es ihn am Kopf. Ein nie erlebter Schmerz riss ihm den Schädel nach hinten, aber mit zwei Schritten verschwand er aus der Gefahrenzone.

Es musste irgendjemand da sein, der ihn angriff. Aber wer? Und womit?

Er ging zum Fenster und sah hinunter. Unten auf der Wagnerstraße stand, von dem gelben Laternenlicht beleuchtet, ein dunkler Kastenwagen. Auf dem Dach wackelte eine Stummelantenne.

Die sengende Hitze traf ihn erneut. In den Bauch. Sofort sprang er zur Seite. Der Brand erlosch.

Eine tiefe Verzweiflung ergriff ihn. Angst. Vernichtungsangst.

Diesem Gegner bin ich ausgeliefert. Er wird mich töten. Vorbei, dachte er. Es ist vorbei mit mir.

Und plötzlich stieg aus tiefen unterbewussten Schichten wie kalter Nebel eine Erinnerung auf. Er kannte dieses Gefühl. Schon einmal hatte er gedacht, dass es mit ihm vorbei sei. Vor vielen Jahren. Er versuchte genauer nachzudenken, doch der Nebel verzog sich nicht. Aber die Gewissheit, dass es vorbei war, hatte er schon einmal erlebt. Im Tunnel.

Mit drei langen Sätzen sprang er zur Garderobe, warf sich, nackt wie er war, den Mantel um, öffnete die Tür und lief barfuß die Treppe hinunter.

Als er die Haustür aufriss, war der dunkle Kastenwagen verschwunden.

Schwer atmend kam er zurück. Sofort ging er hinüber zum Fenster. Die Wagnerstraße lag leer vor ihm. Es regnete immer noch. Zwei Straßenleuchten schaukelten in der windigen Augustnacht und warfen ihr unruhiges Licht in die Dunkelheit.

Selbstzweifel

»Der Arzt hat eine leichte Rötung der Haut festgestellt. Davon abgesehen bin ich gesünder, als ich es für möglich hielt. Er will in den nächsten Tagen einen umfassenden Gesundheitscheck machen, das ganze Programm, aber die Standardwerte Blutdruck, EKG und auch Blut – war alles o. k.«

Dengler rührte die Milch in dem doppelten Espresso um.

»Es war wie eine Attacke von außen«, sagte er.

Olga runzelte die Stirn.

Martin Klein betrachtete ihn und kniff dabei die Augen zusammen. Mario sah auf den Boden.

Sie hatten sich zum Mittagessen bei Rocco verabredet. Die *Trattoria Rocco* lag etwas außerhalb des Bohnenviertels, an der Ecke Wilhelm- und Olgastraße. Das Lokal hatte erst vor wenigen Wochen eröffnet, und die Freunde gingen gern hierher. Es gab einen preiswerten Mittagstisch, und Rocco kochte ausgezeichnet.

»Du hast niemanden gesehen?«, fragte Martin Klein.

»Niemanden. Und mein Handy rührt sich seit dieser Nacht auch nicht mehr. Ich musste ein neues kaufen. Etwas fiel mir auf: In der Straße stand ein dunkler Kastenwagen.«

»Das ist der Ford des Antiquitätenhändlers«, sagte Klein, »der steht oft die ganze Nacht da.«

»Du solltest einen anderen Arzt aufsuchen«, sagte Mario, »wenn das wirklich solche Höllenschmerzen waren – ich würde damit nicht spaßen. Du bist ja nicht der Jüngste.«

»Ich bin gesund. Der Arzt hat nichts gefunden, was diese Schmerzattacken heute Nacht erklärt.«

»Wer könnte dir so etwas antun?«, fragte Olga. »Und warum?«

Dengler zuckte mit den Schultern.

»Keine Ahnung.«

»Was für Fälle bearbeitest du zurzeit?«, fragte sie.

»Keine Sorge. Ich bin nicht überlastet«, sagte er.

Dengler hatte Olga immer noch nichts von dem Angebot Richard Noltes erzählt. Er wusste, sie würde diesen Auftrag nicht billigen. Natürlich nicht. Im Grunde billigte er ihn selbst nicht. Aber immer, wenn er an dieses Projekt dachte, stand das Wort *ausgesorgt* im Raum – wie mit einer riesigen, farbigen Neonreklame geschrieben.

»Ich suche diesen verschwundenen Soldaten. Die eine Versicherungssache habe ich abgeschlossen und die neue noch nicht angefangen.«

Sie schwieg. In der Mitte ihrer Stirn stand eine senkrechte große Falte. Wie ein Fragezeichen.

»Ich glaube auch, dass du noch einmal zu einem anderen Arzt gehen solltest«, sagte Klein. »Wer sollte dich angreifen? Den unsichtbaren Feind gibt es doch nur im Kino.«

Keiner sagte etwas.

Sie denken, ich habe mir das eingebildet, dachte Dengler, und er merkte, wie sein Herz schneller schlug. Kleine Schweißperlen standen plötzlich auf seiner Stirn.

Er kam sich vor wie ein Idiot. Aber vielleicht war er auch einer.

Hab ich mir das heute Nacht nur eingebildet?

Er spürte Olgas Hand auf der seinen. Dengler entspannte sich leicht. Er strich sich mit der anderen Hand über die Stirn.

***

Dengler ärgerte sich noch immer, als er bereits wieder an seinem Schreibtisch saß. Zum Teil über seine Freunde, die ihm nicht glaubten, zum anderen aber auch über sich selbst. Offensichtlich hatte er übertrieben.

Angriff von außen. So ein Quatsch.

Vielleicht brauchte er einfach ein paar Tage Urlaub. Er könnte mit Olga wegfahren. Chicago kam ihm wieder in den Sinn. Die Idee gefiel ihm.

Er rief das Internet auf und ließ sich den Veranstaltungskalender von Chicagos Blues-Clubs anzeigen, las, welche Band in *Buddy Guy's Legend* spielte und welche in *Rosa's Lounge*.

Er musste seinen Reisepass verlängern. In den nächsten Tagen wollte er das erledigen.

Jetzt fühlte er sich besser.

In diesem Augenblick klingelte das Telefon.

Schwungvoll nahm er ab und meldete sich.

Er hörte sofort das leise, kaum wahrnehmbare Knacken, das ein Stimmzerhacker verursacht. Zu oft hatte er während seiner Zeit beim BKA mit solchen Geräten gearbeitet, um dieses Geräusch nicht gleich zu erkennen. Er klemmte den Hörer zwischen Ohr und Schulter. Seine rechte Hand flog zur Tastatur des Rechners. Er klickte die Telefonsoftware an, mit der er Telefonate mitschneiden konnte.

»Dengler? Georg Dengler?«, fragte eine Stimme, die metallen klang.

»Einen Augenblick bitte«, sagte Dengler und fluchte, weil die Software sich so langsam aktivierte.

»Wie hast du geschlafen heute Nacht?«, fragte die metallene Stimme.

Es knackte wieder ganz kurz.

»Gut, gut. Danke.«

Fieberhaft klickte er auf den Aufnahmebutton auf dem Bildschirm. Er wusste, es würde noch einige Sekunden dauern, bis der Rechner das Gespräch aufnahm.

»War es nicht ein bisschen heiß? Hin und wieder?«

»Was wollen Sie?«

»Lass die Finger von« – Knack! – »Singer.«

»Wie meinen Sie das?«

Jetzt leuchtete das grüne Licht auf dem PC. Das Gerät nahm auf.

»Sonst geht es dir wieder so.«

Die Verbindung brach ab.

Schwer atmend setzte er sich auf.

Er klickte auf den Repeat-Knopf der Software.

»Sonst geht es dir wieder so.«

Metallen.

Stimmzerhacker.

Eindeutig.

Noch ein Klick.

»Sonst geht es dir wieder so.«

Dengler wischte sich den Schweiß von der Stirn.

Klick.

»Sonst geht es dir wieder so.«

Keine Frage: Er war jemandem in die Quere gekommen. Er wusste nicht, warum.

Und wem?

Aber vielleicht war das nicht so schwer zu verstehen.

Florian Singer war Teil einer geheimen Kampfgruppe der Bundeswehr.

Und die wollten nicht, dass er sich mit ihnen befasste. Sie hatten Methoden, sich verständlich zu machen.

Und dagegen hatte er keine Chance.

Klick.

»Sonst geht es dir wieder so.«

Er hatte gestern in der Kaserne angerufen.

Sie hatten schnell reagiert.

Klick.

»Sonst geht es dir wieder so.«

Er hatte gegen solche Gegner nicht den Hauch einer Chance.

Sie sind geheim. Haben aber eine eigene Homepage. Die hab ich mir manchmal angeguckt – er hörte Sarah Singers Stimme.

Seine Finger rasten über die Tastatur.

Dann hatte er die Seite gefunden. Ein Zitat aus der Zeitschrift *Die Bundeswehr* stand wie ein Leitsatz voran.

Oder wie eine weitere Warnung an ihn.

»*Keiner sieht sie kommen. Keiner weiß, dass sie da sind. Und wenn ihre Mission beendet ist, gibt es keinen Beweis dafür, dass sie jemals da waren.*«

Genau so hatten sie den Überfall auf ihn durchgeführt. Er würde nichts beweisen können. Außer der leicht geröteten Haut gab es keine Spuren. Nur die Erinnerung an seine Vernichtungsangst.

Einen zweiten solchen Angriff will ich nicht erleben.

Und würde ihn wahrscheinlich auch nicht überleben.

Er würde den Fall aufgeben.

So schnell wie möglich.

Er würde dies Sarah Singer telefonisch mitteilen. Damit sie es hören könnten, wenn sie sein Telefon abhörten.

Oder seine Wohnung.

Er würde sich nicht mehr in solche Gefahren begeben.

Wie damals im Tunnel, dachte er und wunderte sich sofort, dass ihm dieser Gedanke gekommen war.

Der Tunnel – das ist doch schon so lange her.

Er würde Hauptkommissar Weber anrufen.

Er würde die Polizei bitten, den Soldaten zu suchen.

Und morgen, ja, morgen würde er Nolte anrufen und ihm zusagen.

Ausgesorgt, dachte er.

Sein Herzschlag normalisierte sich wieder.

Oktober 1999: Italien, Höhlen von Frasassi (2)

Die Höhlen, die er für den Test ausgewählt hatte, lagen an der Schnellstraße, die von Ancona nach Jesi führte. Ihm gefiel diese traumhafte italienische Szenerie in der Provinz Marken, all diese kleinen Orte auf sanften Hügeln. Dann wechselte diese Landschaft in die hohen, schroffe Berge, die ihn immer an die Rocky Mountains erinnerten.

Die Höhlen wurden erst 1971 von einer Gruppen von Höhlenforschern entdeckt. Die Männer fanden ein kleines Loch in den Felsen, aus dem ihnen ein leichter Luftzug entgegenblies – ein deutlicher Hinweis auf eine Höhle. Also gruben sie einen schmalen Stollen, bis sie auf eine kleine Galerie stießen, die am Ende mit einer dünnen Kalkschicht verschlossen war. Aber auch hier spürten sie den verheißenden Luftzug. Als sie die dünne Wand durchstießen, kam ihnen ein heftiger Windstoß entgegen. Sie hatten eine riesige Höhle entdeckt. Durch Steinwürfe loteten sie die Tiefe aus – 130 Meter. Der große Mailänder Dom würde hier ohne Weiteres hineinpassen. Heute ist die Grotte von Frasassi eine Attraktion, die größte bekannte Tropfsteinhöhle Europas. Eben darum war sie ideal für diese Operation.

Colonel Gordon hatte die Testperson selbst ausgesucht. Es war ein Schwarzer aus Detroit, der im Crackrausch seine Familie abgeschlachtet hatte. Mit einer Art Machete hatte er seinen Vater, seine Mutter und die einzige Schwester niedergemetzelt. Mit vierundzwanzig kassierte er sein Todesurteil. Jetzt war er vierunddreißig. Besucht hatte ihn im Knast jahrelang niemand mehr. Der Rest seiner Familie, zwei Onkel und eine Tante, hatte mit ihm gebrochen. Seine alten Kumpels vergaßen ihn nach einem Jahr.

Perfekt für mich, hatte Gordon gedacht, als er die Akte las. Er hatte ihn nach Italien ausgeflogen. Hatte ihn aufgepäppelt.

Hatte dafür gesorgt, dass er gutes italienisches Essen bekam. Pasta Soundso und Filetto Soundso jeden verdammten Tag. Er hatte ihm einen eigenen Sportraum besorgt mit Hanteln, Springseil, Boxhandschuhen und Sandsack. Der Kerl wusste natürlich nicht, wo er war. Hätte auch nichts genutzt, ihm zu sagen: Hey, du bist in Italien, in Europa, Venedig ist ganz nahe. Der hätte ohnehin nicht gewusst, wo das liegt. Am Anfang war er misstrauisch, aber dann hatte er Sport getrieben, gut gegessen, Muskeln bekommen, und Gordon hatte ihm dabei zugeschaut. Er sah gut aus mittlerweile.

Hatte aber keine Ahnung, was ihm bevorstand.

Hatte keine Ahnung, dass er offiziell schon seit ein paar Monaten tot war. Dass es einen Grabstein mit seinem Namen gab. Im Knastfriedhof von Joliet. Dass niemand seiner Restfamilie zu seiner Beerdigung erschienen war.

Sie brachten ihn jetzt zu Fuß die Straße hinauf zum Eingang der Höhle. Die Hände mit weißen Plastikfesseln auf den Rücken gebunden. Und Fußfesseln. Er hatte genau die richtigen Sachen an: weiße Leinenhose. Jacke aus derbem Stoff. Es würde noch vierzig Minuten dauern, bis er in der Höhle war.

Gordon nahm die Checkliste aus dem Regal und prüfte die Aggregate, wie es die Vorschrift vorsah. Dann schaltete er das Sichtgerät ein und justierte die Entfernung. Der Bildschirm zeigte wunschgemäß das Innere der Höhle. Er erkannte die Gruppe von riesigen Stalaktiten, die sie hier völlig zu Recht »Die Riesen« nannten. Er schwenkte zu einer Grotte, die das Hexenschloss genannt wurde und in deren Mittelpunkt eine Steinformation stand, die wie ein Dromedar aussah und auch so hieß.

Noch ein Schwenk, in die große Höhle. Gordon kannte die Daten. 180 Meter lang, 120 Meter breit und 200 Meter hoch. An der höchsten Stelle hätte man sogar den verdammten Eiffelturm der Franzosen bequem aufbauen können. Die drei *Marines* brachten jetzt den *Nigger* rein. Die Auflösung war im Detail etwas unscharf, aber Gordon sah, wie dieser sich erstaunt umschaute.

So was hast du noch nicht gesehen, nicht? Das wird ein richtiges Bildungserlebnis werden, sag ich dir.

Sie warfen den Kerl zu Boden und schnitten die Handfesseln durch. Bückten sich, lösten die Fußfesseln. Der Kerl blieb am Boden liegen und versuchte sich wohl einen Reim auf all das zu machen. Sah sich um. Wahrscheinlich denkt er, er ist in der Hölle. Oder hat einen neuen Cracktrip. Die beiden *Marines* gingen langsam zurück. Da sprang der Kerl auf. Jetzt hatte er Angst. Eine Höllenangst. Er rannte den *Marines* nach. Gordon lachte.

Einer der Soldaten hob nur kurz die M16. Der Schwarze verstand und blieb zurück. Drei Minuten später war er allein in der Höhle.

Gordon sah ihm zu. Der Kerl ging zu einem der Stalaktiten. Berührte ihn. Zog die Hand zurück.

Scheint ihm zu kalt zu sein. Na ja, gleich wird's wärmer werden.

Der Schwarze betrat jetzt den Steg, der für die Touristenführungen gebaut worden war. Gordon blickte noch einmal auf den zweiten Bildschirm. Alle Aggregate waren einsatzbereit.

Na, dann wollen wir mal.

»Licht aus«, sagte er in das Mikro. In der Höhle wurde es dunkel.

Der Kerl blieb abrupt stehen. Für ihn musste es jetzt völlig schwarz sein. Gordon sah ihm zu, wie er sich an dem Geländer entlangtastete.

Gordon gab ihm 95 Gigahertz. Einstrahldauer fünf Sekunden. Kontinuierlicher Fluss. Die kleine Antenne auf dem Humvee zitterte ein wenig. Das konnte aber auch vom Wind kommen.

Der *Nigger* erstarrte mitten in der Bewegung. Griff sich an den Hals. Ließ das Geländer des Touristenstegs los. Wahrscheinlich nahm er an, er habe davon einen elektrischen Schlag bekommen.

Von diesem Irrtum kann ich dich befreien.

Er gab ihm noch einmal drei Sekunden. Kleinste Pulsdauer diesmal.

Der *Nigger* sprang hoch, als hätte ihn ein Pferd getreten. Gordon las die Bluttemperatur ab. 44 Grad.

Gordon erhöhte auf 200 Gigahertz. Je höher die Hertzzahl, desto besser konnte er den Strahl bündeln. Er zielte nun auf den rechten Arm. Und gab ihm zwei Sekunden.

Der Kerl sprang und schrie. Tastete sich zu dem Geländer und schwang sich drüber. Rutschte auf dem glatten Boden aus und legte sich der Länge nach hin. Blieb einen Augenblick liegen. Dachte vielleicht, er wäre in Sicherheit. Weg von dem stromführenden Touristensteg.

Noch als er auf dem Boden lag, gab Gordon ihm fünf Sekunden auf den linken Oberschenkel. Der Kerl drehte sich dreimal um die eigene Achse. Seine Kleider zerrissen an den Stalaktiten. Dann sprang er auf. Starrte um sich. Konnte aber nichts sehen. Begriff langsam, dass es ernst war. Gordon las die Bluttemperatur ab: Sie war auf fast 55 Grad gestiegen. Der Kerl musste irre Schmerzen haben. Versuchte aber zu verstehen, was da gerade geschah. Stand da, Augen aufgerissen. Arme angewinkelt. Beine angespannt. Sah richtig gefährlich aus.

Der Colonel überprüfte routinemäßig die Daten. Das Blut des Schwarzen war planmäßig kurz davor, zu denaturieren. Es hatte jetzt schon an mehreren Stellen Klumpen gebildet. Außerdem waren bereits 37 Prozent der roten Blutkörperchen, der Sauerstoffträger im Körper, geplatzt.

Er gab ihm drei Sekunden in die Brust. Der Kerl floh nach rechts, versteckte sich hinter einem dicken Stein. Ha, das war gut. Gordon schoss ihm vier Sekunden durch den Stein in den Bauch.

Der zweite Bildschirm meldete eine wachsende Zahl von

Thrombosen, die sich im Körper der Testperson bildeten, hervorgerufen durch das sich stetig verdickende Blut. Allein in den Waden waren es mehr als zwanzig.

Gordon checkte die Organe der Testperson. Er rieb sich die Hände. Alles planmäßig. Das Herz zeigte deutliche Rhythmusstörungen. Das Herz-Reizungssystem war bereits irreparabel geschädigt. Er prüfte das Gehirn. Das schien noch intakt. Normalerweise stockte das Hirn auf wie Eiweiß, das in kochendes Wasser geworfen wird. Hier sah man kaum etwas. Gordon war für einen Augenblick beunruhigt. Da wird doch nichts danebenlaufen, irgendwas schiefgehen. Er fluchte laut.

Dann sah er kurz die Generalssterne vor sich, die auf ihn warteten. Ein kleiner Augenblick der Unachtsamkeit.

Wo war der *Nigger?*

Er rannte auf dem Touristensteg durch die Höhle. Stolperte mehr, als dass er lief.

Drei Sekunden auf den Kopf.

Der Kerl fiel und wälzte sich.

Der war aber zäh. Noch mal zwei Sekunden.

Jetzt verlor er das Bewusstsein.

Georgia meldete sich im Kopfhörer: Großartig, sagte eine Stimme. Auf die Entfernung! Und durch diese Gewandung. Wir haben alle Daten. Gratulation, Colonel. Machen Sie Schluss und schicken Sie den Kadaver.

Yes, Sir, sagte Gordon.

Er zog die Pulslänge auf den höchsten Punkt und gab ihm 300 Gigahertz. Er sah zu, wie das Gesicht des *Niggers* aufbrach. Zunge schwarz und geplatzt. Die Halsschlagader stand offen und sonderte pulsierend eine schwarze Brühe ab. Die Brust barst auf. Aus der verkohlten Haut brachen zwei blutige Rippen mit hellem Rot.

Gordon schaltete alle Aggregate aus.

»Holt ihn raus«, sagte er ins Mikro und stand auf.

Bald bin ich General, dachte er und streckte sich.

Namenspiele

Am Nachmittag saß Dengler an seinem Schreibtisch und dachte über den Fall Singer nach. Er nahm einen Zettel und notierte sich die Telefonate, die er nun zu führen hatte.

Sarah Singer – Auftrag abgeben.

Hauptkommissar Weber – vielleicht kann er etwas für sie tun.

Richard Nolte – aussorgen, den Auftrag annehmen und unterschreiben: Reisepass verlängern

Also rief er Sarah Singer an.

Sie meldete sich sofort.

»Wir haben noch nicht über meine Kosten gesprochen, Frau Singer«, sagte er. »Ich berechne Ihnen für meine Arbeit neunzig Euro pro Stunde zuzüglich Spesen und Mehrwertsteuer.«

»Oh«, sagte sie. »Ich bin gerade etwas knapp. Florian bezahlt seinen Teil ja nicht in die gemeinsame Kasse ein, seit er weg ist. Aber bitte, ich bitte Sie wirklich: Suchen Sie ihn weiter. Ich mache mir große Sorgen um ihn.«

»Ich habe einige andere Fälle«, sagte Dengler. »Es tut mir leid, ich kann nicht länger für Sie arbeiten.«

Er hörte, wie sie am anderen Ende der Leitung ein Streichholz anzündete. Er hörte, wie sie den ersten Zug aus der Zigarette nahm und langsam den Rauch ausblies.

»Kommen Sie heute Abend vorbei. Wir reden dann noch einmal über die Bezahlung«, sagte sie, und ihre Stimme klang tiefer und rauchiger.

Aber Dengler hörte darin auch eine Spur von Resignation. Und trotzdem merkte er zu seiner Überraschung, dass er von diesem kaum verhüllten Angebot erregt wurde. Er sah sie nackt vor sich, nackt und in der gleichen Pose wie auf dem Bild auf ihrer Staffelei.

»Warum tun Sie das alles für ihn?«, fragte er leise.

Sarah Singer ließ sich mit der Antwort Zeit.

»Dass sich alles auflöst, einfach so, akzeptiere ich nicht«, sagte sie.

»Als ich Florian kennenlernte, war ich sicher, den Mann meines Lebens gefunden zu haben.«

»Wir waren so glücklich.«

»Natürlich, die Bundeswehr – das war komisch. Ich lehnte Militär ab. Ich bin gegen Krieg und Gewalt.«

»Immer noch.«

»Aber er war so wunderbar und hat mir in so vielem geholfen. Mit den Kindern. Mit dem Haus. Ich habe keine Sekunde gezögert, als er mich gefragt hat, ob ich ihn heirate.«

Sie redete abgehackt, nervös, aber ohne längere Pause.

»Meinen Namen hat er sogar angenommen.«

»Ich will nicht immer die Arschkarte im Leben ziehen.«

»Kommen Sie heute Abend?«, fragte sie schließlich, und erneut legte sie ihre Stimme künstlich etwas tiefer.

Dengler saß wie erstarrt vor dem Telefon.

»Wiederholen Sie das noch einmal«, sagte er.

»Kommen Sie heute Abend?«

»Nein, nein. Ich meine das davor.«

Sie schien verwundert.

»Ich sagte, dass ich nicht immer die Arschkarte im Leben ziehen will.«

»Davor.«

»Dass Florian sogar meinen Namen angenommen hat.«

»Er hat Ihren Namen angenommen?«

»Ja.«

»Warum?«

Sie lachte kurz auf.

»Möchten Sie etwa Sarah Fleisch heißen?«, sagte sie. Sofort hörte er die Stimme seiner Mutter: *Irgendwas mit Metzger, Metzler oder Schlachter. Aber Singer? Auf keinen Fall.*

»Ich komme heute Abend zu Ihnen«, sagte Dengler.

Als er auflegte, spürte er, wie ihm die Luft weggeblieben

war. Für einen Moment war ihm so, als würde ihm schwarz vor Augen. Er spürte das Wasser steigen. Die Angst.

★★★

Kurz darauf hatte er die Kontrolle über sich wiedergewonnen. Er wollte jetzt nicht daran denken. Er musste seine Liste abarbeiten. Einen Punkt nach dem anderen.

Der nächste Anruf galt Richard Nolte, den er auf dessen Funktelefon erreichte. Er schien sich über Denglers Anruf zu freuen.

»Und? Haben Sie es sich überlegt?«, fragte er. »Wollen Sie für mich arbeiten? Viel Geld verdienen?«

»Ja«, sagte Dengler.

»Das freut mich. Wir können Sie gut gebrauchen.«

»Allerdings nicht gleich.«

Dengler machte eine Pause.

»Ich muss erst noch einen Fall abschließen. Etwas Privates.«

Nolte sagte: »Gut. Aber beeilen Sie sich. Es geht bald los.«

Dann legten sie auf.

Danach rief er Weber im Polizeipräsidium an. Er mochte den Hauptkommissar. Bei seinem letzten großen Fall hatten sie sich kennengelernt, und Dengler schien es, als würde Weber ihn schätzen. Hin und wieder telefonierten sie. Weber brauchte manchmal eine Auskunft, wie er den einen oder anderen Beamten im Bundeskriminalamt einzuschätzen habe, und Dengler antwortete ihm stets aufrichtig. Kurz: In ihrer wechselseitigen Buchhaltung hatte sich auf Denglers Seite ein kleines Guthaben angesammelt. Oder anders ausgedrückt: Weber war ihm einen Gefallen schuldig. Mindestens einen.

Dengler kam gleich zum Thema: »Ich bearbeite den Fall eines vermissten Soldaten. Eines Berufssoldaten. Hat sich aus dem Staub gemacht. Seine Frau bat mich, ihn zu suchen. Möglicherweise ist er psychisch krank. Er war wohl zu lange in Afghanistan. Ich will wissen, ob die Polizei sich auch mit der Sache beschäftigt.«

Weber lachte trocken.

»Herr Dengler, wissen Sie, was bei uns los ist? Ich leite die Kommission wegen der Schutzbunkermorde am Marktplatz. Sie haben doch sicher davon gelesen.«

»Ja, es soll ein terroristischer Anschlag auf zwei städtische Angestellte gewesen sein, heißt es.«

Weber lachte: »Was die Zeitungen alles schreiben …«

»Kommen Sie voran?«

»Nein, um ehrlich zu sein. Wir stehen vor einem Rätsel. Wahrscheinlich sogar vor mehr als einem. Deshalb dauert es, bis ich mich um die Sache kümmern kann. Ich rufe Sie zurück. Aber es dauert ein, zwei oder auch drei Tage. Geben Sie mir die Daten.«

Dengler diktierte ihm Namen und Geburtsdatum von Florian Singer, früher Florian Fleisch.

Er hörte die Glocken der Stiftskirche und zählte mit. Sechs Glockenschläge. 18 Uhr. Dengler griff zum Telefon und bestellte ein Stadtmobil. In zwei Stunden wollte er bei Sarah Singer sein.

Zunächst aber klopfte er an Olgas Tür. Sie war nicht da.

Er stand allein im Treppenhaus, und zum ersten Mal seit langer Zeit wusste er nicht weiter.

Ein guter Mensch

Als sie die Tür öffnete, trug sie ein weißes kurzes Kleid, das ihre Figur betonte. Sie hatte sich sorgfältig zurechtgemacht, war offensichtlich beim Friseur gewesen. Sie trug weiße Sandaletten und hatte die Fußnägel perlmuttfarben lackiert. Sarah Singer lächelte.

Sie begrüßte ihn mit einem Kuss auf die Wange, einem Kuss, bei dem ihre Lippen auch sein Ohrläppchen berührten. Er küsste sie auch auf die Wange. Vorsichtiger allerdings.

Dann trat er ein.

Sie brachte zwei Gläser, Sektkelche, und eine Flasche Crémant. Er öffnete sie schweigend und goss die beiden Gläser ein.

Sie sah ihm still zu. Der Rock gab ein beachtliches Stück ihrer Oberschenkel frei. Dengler gefielen sie.

Immer noch schweigend stießen sie an.

»Die Bezahlung«, sagte sie. »Darüber wollten wir doch reden?«

Sie fuhr mit der Zungenspitze über die Unterlippe, wie sie es bei ihrem ersten Gespräch getan hatte, und jetzt – wie damals – erschien ihm das wie ein Versprechen.

»Hat Florian – ich meine, hat Ihr Mann jemals mit Ihnen über … mich gesprochen?«, fragte er betont sachlich.

Sie sah ihn überrascht an.

»Warum haben Sie ausgerechnet mich beauftragt, Ihren Mann zu suchen?«

»Sie standen in der Zeitung. Wegen dieser Geschichte da letztes Jahr.«

»Welche Geschichte?«

»In Ihrem Büro wurde jemand umgebracht.«

Das stimmte. Bei seinem letzten Fall hatte ein Auftragsmörder versucht, ihn zu töten. Und war dabei selbst umgekommen. Beide Stuttgarter Zeitungen hatten damals ausführlich über den Fall berichtet. Und auch überregional fand der Fall Aufmerksamkeit.

»Hat Ihr Mann diese Artikel auch gelesen?«

Sie überlegte.

»Keine Ahnung. Ich glaube nicht. Da las er schon längst keine Zeitungen mehr.«

»Haben Sie die Adresse von seinem Kameraden gefunden, von diesem Klaus Holzer?«

»Noch nicht.«

»Ich muss ihn sprechen«, sagte Dengler und stand auf.

Sie sah ihn überrascht an.

»Was ist mit der Bezahlung?«, sagte sie. »Ich ertrage es nicht, dass Sie umsonst arbeiten.«

Und dann: »Kommst du mit …?« Sie wies auf eine Tür.

»… ins Schlafzimmer?«

Dengler erhob sich schwer aus der Couch. Eine harte Erektion machte ihm das Aufstehen schwer. Sein Mund war trocken. In der Hand hielt er immer noch den Sektkelch. Sie kam auf ihn zu und legte beide Arme um ihn.

»Komm«, sagte sie. »Ich brauche dich jetzt.«

Dengler setzte das Glas ab.

Sie küsste ihn, und er ließ es geschehen.

»Ich muss jetzt gehen«, sagte er heiser.

Sie küsste ihn ein zweites Mal.

Mannheim, Paradeplatz

Die blaue Uniform spannte um seinen Bauch, und er musste sich mit der rechten Hand am Einstiegsgriff der Straßenbahn festhalten, als er am Neuen Messplatz in der Neckarstadt in die Linie 3 stieg. Seit seiner Hüftoperation war Jürgen Meister nicht mehr so beweglich. Er fand einen leeren Platz am Fenster, auf den er sich schnaufend fallen ließ. Außerdem hatte er zum Leidwesen seiner Frau in den letzten Jahren zugenommen.

Fahr nur, hatte seine Frau gesagt, die Bewegung wird dir guttun. Am Paradeplatz stieg er bei C&A aus. Die frische Luft führte sofort zu einem quälenden kleinen Hunger. Er ging hinüber zum Kaufhof und kaufte sich an dem Imbissstand eine Bratwurst.

Eigentlich hatte er es eilig. Aber abwägend zwischen Hunger und Pünktlichkeit entschied er sich lieber dafür, etwas zu essen.

Heute war Dienstag, und heute Abend traf sich sein Skatclub in der Cafeteria des Bürgerhauses Neckarstadt in der Lutherstraße. Darauf freute er sich jede Woche.

Aber erst die Pflicht. Seit sechsundzwanzig Jahren war er in der Freiwilligen Feuerwehr aktiv. Letztes Jahr hatte es eine schöne Feier gegeben, eine Urkunde hatte er bekommen, die vom Oberbürgermeister unterschrieben war. Original unterschrieben, kein Computerausdruck oder Stempel, denn er hatte seinen Zeigefinger angefeuchtet und damit vorsichtig über den ersten Buchstaben, das W, gewischt. Es verschmierte. Tinte! Also war die Unterschrift echt. Dies gab ihm ein befriedigendes Gefühl.

Für die Freiwillige Feuerwehr erledigte er gelegentlich gewisse Aufgaben. Das machte er gern. Er wusste natürlich, wie der Hase lief. Die Berufsfeuerwehr hatte etwas zu erledigen, was sie selbst nicht machen wollte. Sie beauftragte die Freiwilligen. Er hatte sich freiwillig gemeldet, die alten Bunker unter dem Paradeplatz zu säubern. Normalerweise machte er so etwas immer mit dem Kollegen Erwin zusammen. Doch der ging heute mit seinen beiden Enkeln einkaufen. Und so würde er die Arbeit allein machen. Dafür, das hatte Erwin versprochen, würde er das nächste Mal allein den Reinigungsdienst übernehmen.

Es machte ihm nichts aus. Zu den wichtigen Übungen der Freiwilligen Feuerwehr Nord, zu der er als Neckarstädter gehörte, wurde er schon seit über zehn Jahren nicht mehr einberufen. Du bist ja jetzt im Ruhestand, hieß es. Er wusste, dass er zu dick war für einen ernsten Einsatz. Und seit der Hüftoperation hatte er erst recht keine Chance mehr. Aber hin und wieder kleine Arbeiten, das machte er gerne.

Da komme ich dann wieder mal in die Quadrate, dachte er sich.

Mannheim ist die einzige Stadt Deutschlands, deren Innenstadt zum großen Teil nicht nach Straßennamen, sondern nach Kennzahlen organisiert ist. Vom Schloss bis zur Kurpfalzbrücke zieht sich die Kurpfalzstraße mitten durch die Mannheimer Innenstadt. Die Straßen rechts und links dieses Boulevards tragen keine Straßennamen. Stattdessen sind die Häuserblöcke nummeriert. Links beginnt es mit A1, dann A2, A3 und so weiter. Ein Stück weiter dann B1, B2 bis B7, nach der nächsten Querstraße C1 bis C8. Die letzte Straße, die nach links abbiegt, birgt die K-Blöcke. Die L-Quadrate bilden den Anfang der Querstraßen, die rechts von der Kurpfalzstraße abgehen: L1 bis L15. Obwohl es der alte Kurfürst gewesen war, der diesen Teil Mannheims erbauen ließ und dieses System erfunden hatte, gab es noch heute der Mannheimer Innenstadt etwas Besonderes, Modernes, ja Amerikanisches.

★★★

Vor dem Paradeplatz befand sich im Quadrat N1 bis zur Zerstörung im 2. Weltkrieg das Rathaus. Inzwischen steht dort das mulitfunktionale Stadthaus, ein moderner Bau. Jürgen Meister fuhr hinauf in den dritten Stock. Dort kannte man ihn schon, und zwei Frauen händigten ihm die Utensilien aus, die er benötigte: einen großen Besen, Schaufel und einen gelben Plastikeimer. Meister erzählte ihnen einen nicht ganz stubenreinen Witz, verhedderte sich aber in der Pointe, die er zu früh verriet, und nun waren es die beiden Frauen, die ihn gutmütig verspotteten. Bis zum nächsten Mal solle er üben, sagten sie. Sie seien hier keine Anfänger gewöhnt.

Dann fuhr er hinunter in das unterste Parkdeck. Ganz hinten links sah er die rote Stahltür, auf die er zielstrebig zuging. Er machte diese Arbeit nicht zum ersten Mal. Die Tür war mit einem Vorhängeschloss gesichert, und der Schlüssel dazu hing an seinem Schlüsselbund.

Meister stellte Eimer, Schaufel und Besen ab, öffnete das Schloss und zog die schwere Bunkertür auf. Dahinter befand sich auf der kompletten Länge von N1 ein alter Luftschutzbunker. Hitlers Stararchitekt Speer hatte ihn entworfen und gebaut. Eine riesige Fläche bot 1600 Personen Platz. In den Zeiten des Kalten Krieges war der Keller modernisiert und ausgebaut worden, doch nun diente er nur noch einigen Firmen als Lagerplatz. Noch immer hingen von den Decken Ketten mit gestapelten Metallrahmen herab, die sich mit wenigen Handgriffen in dreistöckige Pritschen verwandeln ließen. An den Wänden waren Reihen mit Holzsitzen montiert, mit fest verankerten Kopfstützen aus Holz und mit Leder überzogen. Noch immer war der Bunker einsatzfähig.

Eine Tür führte zu einem weiteren Bunker, der direkt unter dem Paradeplatz lag und auch von diesem durch eine Treppe zu erreichen war, die jedoch mit feuerverzinktem Gitter abgedeckt war. Dieser Bunker war in zwei Hälften unterteilt, die groß und lang waren und Meister, obwohl er schon oft hier unten gewesen war, immer wieder unheimlich vorkamen. Neulich hatte ihm sein Enkel erzählt, dass der bekannte Mannheimer Rapper Xavier Naidoo diese Bunker als Schauplatz für ein Musikvideo genutzt hatte. Aber von solchen Dingen verstand Meister nichts.

Dieser Teil der Bunkeranlage war Jürgen Meisters eigentliches Ziel. Er sollte die beiden Räume reinigen.

Er betrat den Vorraum, schaltete das Licht an, stellte die Putzutensilien ab und drückte die schwere Tür hinter sich wieder zu. Dann nahm er Eimer und Besen und betrat den ersten Raum.

Links standen Kisten und Kästen von Mannheimer Firmen, dahinter ein Stapel von Bilderrahmen, die eine Galerie hier eingelagert hatte. Um den ganzen Raum zog sich auf Kopfhöhe ein phosphorisierender gelber Streifen, der notdürftiges Licht spenden würde, wenn die Stromversorgung zusammenbrechen sollte.

Meister ärgerte sich noch immer ein wenig, dass er den Witz nicht richtig erzählt hatte, und überlegte sich, wie er es heute Abend in der Skatrunde besser machen konnte.

Da traf ihn ein Schlag.

Unvermittelt schien sich etwas in sein Herz zu bohren. Es war ein unbeschreiblicher Schmerz.

Meister ließ Eimer und Besen fallen, riss den Mund auf und versuchte zu atmen. Der Schmerz verschwand, aber er spürte seinen Herzschlag, so laut, wie er es noch nie gehört hatte.

Herzinfarkt, dachte er. Ausgerechnet hier unten.

Mit der rechten Hand drückte er gegen seinen Brustkorb und ging zum Ausgang zurück. Er erreichte die rote Bunkertür und zog daran. Sie ging nicht auf.

Er zog heftiger.

Sie rührte sich nicht.

Erst dachte er, er wäre zu schwach.

Also zog er mit beiden Händen.

Dann begriff er, dass jemand draußen das Vorhängeschloss wieder verriegelt hatte.

Ausgerechnet jetzt, dachte er.

Er zog sein Funktelefon aus der Hosentasche, obwohl er genau wusste, dass er hier, zehn Meter unter der Erde, keinen Empfang haben würde.

Er versuchte trotzdem, seine Frau anzurufen, und steckte das Gerät zurück in die Hosentasche, als er festgestellt hatte, dass es nicht funktionierte.

Da traf ihn ein zweiter Schlag. Heftiger noch als der erste. Ihm war, als sei in seinem Inneren ein Höllenfeuer angezündet worden. Er brannte. Innerlich.

Meister riss den Mund auf und fiel vornüber auf die Knie. Mit der rechten Hand versuchte er, die blaue Jacke aufzuknöpfen. Der dritte Schlag traf ihn am Kopf. Es riss ihn herum, als sei er in eine Linke von Muhammad Ali gelaufen. Sein Schädel platzte. Aber da war er schon tot.

Am Bärensee

Dengler war bereits vor Mitternacht wieder in Stuttgart zurück. Die Wendung, die seine Begegnung mit Sarah Singer genommen hatte, hatte ihn überrascht. Keine Affäre mit der Kundschaft – das war ein Grundsatz bei der Polizei gewesen, auch wenn sich nicht alle Kollegen daran gehalten hatten. Aber Dengler machte sich keine Illusionen: Er hatte alle Kraft aufbringen müssen, um Sarah Singers Angebot abzulehnen.

Und darüber musste er nachdenken. Aber nicht jetzt. Jetzt war er zu müde. Morgen. Dengler sah nicht mehr bei Olga vorbei. Er ging in seine Wohnung und war wenig später eingeschlafen.

Am nächsten Morgen war er bereits um sechs Uhr wach. Er stand sofort auf, ließ sich kaltes Wasser über das Gesicht laufen, brühte sich einen schnellen Espresso und zog dann seinen Trainingsanzug und die Laufschuhe an. Das Stadtmobil stand noch unten vor der Tür, und so fuhr er früh hinauf zu den Bärenseen.

Unweit des Stadtzentrums, zehn Autominuten vom Bohnenviertel entfernt, lagen drei Seen, die früher einmal der Trinkwasserversorgung Stuttgarts gedient hatten. Heute war der schattige Weg um die Seen ein beliebter Spazier- und Joggingweg. An Wochenenden herrschte hier kaum weniger Andrang als in der Königstraße, dem großen Einkaufsboulevard der Stadt.

Doch so früh am Morgen zog nur ein einsamer Jogger seine Runden. Die Sonne war bereits aufgegangen. Nebelschwaden hingen über dem Wasser. Einige Enten und Blesshühner tauchten am Rande des Ufers nach Futter, und ein Fischreiher segelte mit ausgebreiteten Schwingen über das Wasser. Dengler bemerkte, dass sich an einigen der Bäume, die das Ufer säumten, die Blätter bereits herbstlich verfärbt hatten.

Er joggte nicht mehr regelmäßig, wie er das früher getan hatte. Einmal in der Woche, wenn er ehrlich war, eher einmal in vierzehn Tagen. Früher, beim BKA, war er zwei- oder dreimal in der Woche gelaufen. Entweder im Wiesbadener Kurpark oder, viel lieber, am Rhein entlang. Das Laufen hatte ihm stets Ruhe zum Nachdenken gegeben. Wenn er seinen Rhythmus gefunden hatte, konnte er sich dem Denken und Grübeln hingeben. Die Lösung eines komplizierten Falles, es ging um einen flüchtigen Baulöwen aus dem Taunus, war ihm beim Laufen am Rhein eingefallen.

Auch jetzt musste er sich über zwei Dinge klar werden.

Zunächst über Sarah Singer.

Das war der einfache Teil.

Seine Klientin hatte ihn verführen wollen. Vielleicht weil sie sein Honorar nicht bezahlen wollte oder konnte, aber dies war sicherlich nicht der Hauptgrund. Er hatte Angst in ihren Augen gelesen. Und Einsamkeit. Sie wollte nicht allein sein. All das war nicht schwer zu verstehen.

Dengler lief zweimal um die Seen und blieb dann schnaufend stehen. Er hätte beinahe mit Sarah Singer geschlafen. Jetzt wusste er, warum. Es war nicht so sehr Geilheit. Es wäre Rache gewesen. Rache an Florian Singer, ehemals Florian Fleisch, für den Verrat an ihrer Freundschaft, für den Versuch, ihn damals am Windgfällweiher umzubringen. Rache für die größte Enttäuschung seiner Kindheit.

Und während er immer noch erschöpft am Ufer des Bärensees stand, wusste er, dass er Florian Singer finden musste. Nicht wegen Sarah Singers Auftrag. Er musste es tun, um endlich Licht in dieses Kapitel seines Lebens zu bringen. Warum hatte sein Blutsbruder ihn umbringen wollen? Die Antwort darauf war Florian ihm schuldig.

Florian zu finden: das war der schwierigere Teil.

Ich werde mächtige Gegner haben.

Dengler rannte noch einmal los.

Noch eine Runde um den ersten der drei Seen.

Er würde einen langen Atem brauchen.

Zweiter Teil

Erster Bericht: Elitetruppe

Von wegen Elitetruppe. In Deutschland wurden wir so genannt. Aber in Afghanistan? Wir waren die Fußabtreter der Amerikaner. Denen waren wir nur lästig. Wenn wir Glück hatten, benutzten sie uns als Hilfstruppe. Hielten uns nicht mal für besonders zuverlässig. Ich war bei dem ersten Kontingent. Im Vorauskommando. Im Dezember 2001 kamen wir nach einem kurzen Aufenthalt in Oman im Südwesten Afghanistans an. »Uneingeschränkte Solidarität« mit den Amerikanern hatte der Bundeskanzler versprochen. Die Amis wiesen uns eine bessere Müllhalde zu, auf der wir unsere Zelte aufbauten. Es war ekelhaft kalt. Die Versorgung klappte nicht. Kameraden erkrankten und wurden wieder zurückgeflogen. Manche mit merkwürdigen Mangelerscheinungen. Es war wie auf einem Geisterschiff, auf dem Skorbut ausgebrochen ist. Die Amerikaner hatten nichts für uns zu tun. Für die waren wir eine Last. Aber ich hatte ja einen Auftrag! Doch wir wurden nie zu irgendwelchen Einsätzen mitgenommen. Das war frustrierend. Erst als es mit dem Nachschub klappte, vor allem mit Alkohol, wurden die Amis freundlicher. Palettenweise schickte uns das Verteidigungsministerium Bier, Wein und Schnaps. Die Amis hatten nämlich ein strenges Alkoholverbot. Für die war Q-Town, wie sie Kandahar nannten, ein *dry-camp*. Einsatz in einem muslimischen Land! Wir organisierten den Handel. Plötzlich waren die *Germans* nicht mehr die lästigen Verbündeten, sondern Freunde mit Stoff.

Dumm nur, dass unser Kontingentführer selbst so soff, dass er manchmal einfach umfiel. Es gingen bald Gerüchte rum, dass die Amerikaner sich weigerten, mit ihm Besprechungen abzuhalten.

Ich schrieb dann eine E-Mail an die Firma, an deren Waffen

ich ausgebildet war. Das war wahrscheinlich verboten, nicht gerade der Dienstweg, aber was sollte ich machen?

Vielleicht hat das was ausgelöst. Ich weiß es nicht. Aber dann nahmen sie uns zu Einsätzen mit. Groß angekündigt: Operation Anaconda, da durften wir mit. Ansonsten mussten wir in ihrem Gefangenenlager Wache schieben. Untergeordnete Hilfstruppen waren wir – und darüber kamen wir während meines ganzen Einsatzes nicht hinaus.

Internetrecherche

Nachdem Dengler geduscht hatte, setzte er sich an den Rechner und war überrascht, eine E-Mail von Sarah Singer vorzufinden. Sie hatte sie noch in der Nacht geschickt. Dengler sah auf die Sendezeit der Mail: 3.15 Uhr.

Lieber Georg, darf ich Sie so nennen? Schlafen kann ich gar nicht mehr. Ich habe die alten Unterlagen durchsucht und habe die Adresse von Klaus Holzer gefunden. Es ist eigentlich die Wohnung seiner Freundin, aber er wohnt auch dort. In Remshalden, Schillerstraße 9. Susanne Dippler heißt sie. Schade, dass Sie nicht mehr Zeit hatten. Sarah

Dengler nutzte den Rest des Vormittags, um im Internet über die Spezialeinheit zu recherchieren, der Florian Singer angehört hatte. Anlass ihrer Gründung sei die Rettung von Mitarbeitern der Deutschen Welle gewesen, so las er, die von belgischen Fallschirmjägern aus Kigali evakuiert werden mussten, als der Völkermord in Ruanda losbrach. Die damals einsetzende internationale Kritik an der Bundesregierung, sie könne ihre Staatsbürger nicht schützen, habe zur Gründung der Truppe geführt. Dengler fand auch einen Artikel aus der *Welt*, in dem berichtet wurde, dass die Bundeswehr schon Jahre zuvor – von der Öffentlichkeit unbemerkt – mit einer solchen Spezialeinheit experimentiert habe. Erst nach Ruanda seien dem Bundestag die Pläne für eine derartige Sondertruppe vorgelegt worden, mehr oder weniger versteckt im Rahmen eines Strukturanpassungskonzeptes. Diese Spezialtruppe wurde, so folgerte Dengler, auf politisch kaltem Wege eingeführt. Man wollte kein Aufsehen.

Dengler fand eine Internetseite, die sich mit Bewaffnung

und Ausrüstung der Truppe beschäftigte. Es waren etwa eintausend Mann, fast ausschließlich Berufssoldaten, gewissermaßen eine Art Berufsarmee innerhalb der Bundeswehr, mit modernsten Waffen, dem Gewehr G 36 k, Nachtsichtgeräten, Blendgranaten, Hubschraubern und Informationstechnologie. Irgendetwas, was darauf hindeutete, dass sie eine Waffe besäßen, die Dengler diese brennenden Schmerzen zugefügt hatte, fand er jedoch nicht.

Er nahm einen Zettel aus dem Druckerschacht und schrieb darauf:

Welche Waffe?

Dieses Papier hängte er an die Wand neben seinem Schreibtisch.

Gegen Mittag fuhr er nach Remshalden. Die Schillerstraße lag im Stadtteil Grunau und führte vom Ortskern den Berg hinauf. Das Haus mit der Nummer 9 war eher ein zweistöckiger Anbau als ein eigenständiges Haus. Alle Fensterläden waren verschlossen, sowohl im ersten als auch im zweiten Stock, und die Einwurfschlitze der Briefkästen waren mit Klebeband überklebt.

Hier wohnte niemand mehr.

Dengler klingelte im Haus nebenan. Ein kräftiger, etwa vierzigjähriger Mann öffnete. Das Haus nebenan sei leer, es werde abgerissen, irgendwann einmal, sagte er, wann, wisse er auch nicht. Nein, wo die Frau Dippler hingezogen sei, wisse er nicht. Aber er schien ihren Wegzug zu bedauern.

Dengler bedankte sich für die Informationen und fuhr zurück nach Stuttgart.

Auf dem Rückweg dachte er an seinen abgelaufenen Reisepass. Er hatte ihn immer noch nicht erneuern lassen.

Marode Truppe

Als Dengler wieder in seinem Büro saß, rief er die Gemeindeverwaltung Remshalden an.

Er sei ein Klassenkamerad von Susanne Dippler. Er wolle sie zu einem Klassentreffen einladen, aber sie sei verzogen, und er wisse nicht, wohin. Ob sie ihm da weiterhelfen könne. Da müsse er ein Fax schicken, sagte die Dame. Das mache er gerne, sagte Dengler. Er schrieb ein entsprechendes Fax und schickte es ab.

Dann wandte er sich wieder der Recherche über Singers Spezialtruppe zu. Diese schien unter keinem guten Stern zu stehen. Die Skandale, in die sie verwickelt war, waren zahlreich. Einmal malten Mitglieder der Truppe auf einen Geländewagen abgewandelte Embleme der Wehrmacht, genauer von Hitlers Afrika-Korps. Dann wurde der Kommandeur der Truppe, ein Brigadegeneral, abgelöst, weil er sich als Unterstützer eines bekannten Rechtsradikalen geoutet hatte. Derselbe General, nun die Pension verzehrend, schrieb später in einem Buchbeitrag, die Sondertruppe stehe in der direkten Nachfolge einer Nazi-Elitetruppe, der »Division Brandenburg«. Den größten Skandal und sogar einen Bundestagsuntersuchungsausschuss löste der Fall Kurnaz aus. US-Streitkräfte entführten den in Bremen geborenen Murat Kurnaz nach Kandahar und später in das berüchtigte Gefängnis Guantanamo. Kurnaz versicherte glaubwürdig, er sei in Kandahar von Soldaten der deutschen Spezialtruppe misshandelt worden. Das Verteidigungsministerium verschleppte die Herausgabe von wichtigen Akten und erklärte dann, diese seien »versehentlich vernichtet« worden.

Dengler fand dann im Internet einen Chat, in denen sich Soldaten der Einheit austauschten. Sie gaben sich Pseudonyme wie »Der weiße Hai« oder »Kandak«, sie verwendeten Erkennungszeichen wie drei Totenköpfe, die an die SS erinnerten, Wahlsprüche wie: *Frauen sollten immer Weiß tragen – wie alle anderen Haushaltsgeräte auch.*

Meistens ging es darum, bei Söldnerfirmen wie der amerikanischen *Blackwater* unterzukommen, viele ließen mehr oder weniger dummes und rechtsradikales Gesülze ab. Es war ein trauriges Forum.

Dengler erfüllte es mit Genugtuung, dass sein alter Blutsbruder bei einer solchen maroden Truppe gelandet war.

Er hatte mit ihm eine Rechnung offen. Eine große Rechnung.

Zweiter Bericht: Der Ziegenhirte

Manchmal ist es zum Verrücktwerden. Wenn du hier die Zeitungen liest oder Fernsehen siehst, denkst du, dass ... Es ist wie in einem falschen Film. Die Leute hier glauben, dort unten ginge es darum, der Bevölkerung gegen ein paar verrückte Taliban zu helfen. Die Soldaten würden Schulen bauen und Krankenhäuser, als wären wir so eine Art Entwicklungshelfer. In Wirklichkeit besetzen wir das Land ohne Rücksicht auf die Bevölkerung. Die werden unterworfen. Einmal lagen wir in den Bergen. Wir sollten eine Straße beobachten und jede Bewegung darauf melden. War ziemlich hoch. 3500 Meter. Per Hubschrauber wurden wir raufgebracht, marschierten dann aber zwei Stunden, bis der amerikanische Leutnant fand, dies sei der richtige Platz. Getarnte Stellung. Lagen da zwei, drei Stunden. Plötzlich meckerte es um uns rum. Richtiges Meckern. Mäh, mäh, mäh. Scheiße, eine Ziegenherde. Eine Geiß knabberte an einer Tarndecke. Wir warfen Steine nach den Viechern. Nützte nichts. Und plötzlich stand auch der Ziegenhirte vor uns. Ich seh ihn noch wie damals. Braunes Gesicht. Völlig zerfurcht. Würdig irgendwie. Braune Augen. Wach und glänzend. Weißer Bart bis zur Brust. Turban. Er lachte uns an, bückte sich zu einem der Amerikaner runter. Salem aleikum, sagte er und lachte freundlich.

Scheiße, für uns ist das echte Scheiße. Enttarnt. Theoretisch müssen wir unsere Position wechseln. Wir liegen auf 3500 Metern Höhe. Die Luft ist dünn. Und unser Gepäck können wir schon im Tal kaum schleppen. Hier oben in der dünnen Luft ist es die Hölle. Aber wenn wir enttarnt sind, müssen wir abziehen. Neue Stellung beziehen. Das Gepäck noch mal ein paar Kilometer schleppen. Ich sehe noch den amerikanischen Offizier vor mir. Er gibt einem seiner Soldaten ein Zeichen. Nur kurz. Aus den Augenwinkeln. Der schraubt den Schalldämpfer drauf. Hebt kurz an und ... Plopp! ... in die Schläfe. Der Hirte kippt um. Die Ziege macht einen Satz. Bleibt dann abrupt stehen und glotzt uns an. Und ich denke noch: Was wird jetzt aus den Ziegen? Komisch, oder? Dass man in so einer Situation so was denkt.

Im Visier des BKA

Dengler sah sich die Aufzeichnungen aus den Gesprächen mit Sarah Singer noch einmal an. Sie hatte angegeben, dass ihr Mann spät am Abend in den Supermarkt gefahren sei. So gegen neun. Er hatte ihr davon nichts gesagt.

Für ihn sei das eine Mutprobe gewesen, sagte sie. Dengler hatte nicht verstanden, warum der Besuch eines Supermarktes eine Mutprobe sein sollte. Sie hatte ihn lange angeschaut.

»Mein Mann ist krank«, hatte sie geantwortet. »Jetzt verstehen Sie doch endlich.«

Seit er aus Afghanistan zurück sei, hätte sich Florian geweigert, unter Leute zu gehen. Erst habe sie es auf die Anstrengungen und den Stress geschoben. Als er nicht einmal zum sechzigsten Geburtstag ihrer Mutter gehen wollte, hätten sie sich gestritten. Die Gründe, die er angeführt hatte, seien fadenscheinig gewesen, und erst nach und nach habe sie das Drama ihres Mannes verstanden.

»Er konnte nicht mehr als drei Menschen um sich herum haben. Seine Kameraden ausgenommen. Er fühlte sich sofort umzingelt. Von Feinden umzingelt. Und einmal, er war wieder einmal betrunken, gestand er mir unter Tränen: Er habe Angst, dass er irgendjemanden angreife – das Gefühl der Bedrohung und Umzingelung sei so groß. Er habe es gemerkt, als er im Supermarkt in der Schlange vor der Kasse stand.«

»Und warum ging er dann am Abend so spät allein dorthin?«

»Ich glaube, er wollte sich etwas beweisen. Er wollte sich beweisen, dass er allein einkaufen kann. Aber er konnte es nicht. Er drehte durch.«

Dengler wusste: Er musste mehr über Singers Krankheit erfahren, wenn er Singer finden wollte.

Das Telefon klingelte.

Es war Hauptkommissar Weber.

»Dengler, da haben Sie mir ja wieder mal etwas Seltsames aufgetragen ...«

Er sprach lauter als sonst. Im Hintergrund waren Gespräche zu hören, die er offensichtlich übertönen musste.

Wahrscheinlich sitzt er in seiner Kommission mit den noch immer nicht aufgeklärten Morden unter dem Marktplatz, dachte Dengler.

»Florian Singer ist nicht zur Fahndung ausgeschrieben. Auch die Feldjäger sind nicht hinter ihm her. Aber etwas anderes ist merkwürdig: Es gibt eine Aufenthaltsermittlung Ihres alten Vereins.«

»Des BKA?«, fragte Dengler verwundert.

»Genau. Das BKA interessiert sich für Ihren Mann.«

»Warum?«

»Das weiß ich auch nicht. Hören Sie, ich habe hier genug zu tun. Wir haben einen weiteren Mord in einem Luftschutzbunker. In Mannheim. Wieder verbrannt. Und wir wissen nicht, wie.«

Die beiden Männer verabschiedeten sich. Und Dengler hatte auf seiner Liste ein weiteres großes Fragezeichen.

Juli 2001: Erlangen, Katharina Petrys Wohnung

Katharina Petry stand vor dem großen Spiegel im Flur ihrer Wohnung und band sich die schwarze Seidenfliege um. Die Fliege war ihr Kennzeichen, ihr Ausdruck der Corporate Personality – darauf kam es an, heutzutage.

Es gab sonst nur noch den freundlichen Herrn, der im ZDF das Wetter präsentierte, den ehemaligen Forschungsminister und einen früheren Bundestagsabgeordneten der SPD, die die Fliege zu ihrem Markenzeichen gemacht hatten.

Sie jedoch war die einzige Frau, die Fliege trug. Sie besaß fast fünfzig davon.

Katharina Petry stand vor dem Sprung in den Vorstand der MensSys AG. Nicht wegen ihrer Fliege, sondern wegen ihres Projektes, das sie bis kurz vor die Marktreife geführt hatte. Wenngleich, da war sie sich sicher, die Fliege ihr immer geholfen hatte, sich von gleichrangigen Direktoren zu unterscheiden. Und dem Vorstandsvorsitzenden aufzufallen.

Morgen hatte sie einen wichtigen Termin. Im Bundeskanzleramt. Sie war sich sicher, dass dem Abschlussbericht ihres Projektes nichts mehr im Weg stand.

Auf diesen Termin hatte sie acht Monate gewartet. Und nun war es so weit.

Vor acht Monaten hatte sie in einem ausführlichen Memo an Dr. Michael Kuhnert, dem Bereichsvorstand *Defens Systems* der MensSys AG, mitgeteilt, dass die Tests an dem System Delta III abgeschlossen seien. Wünschenswert sei nun ein Echtzeiteinsatz.

Sie wurde kurzfristig zur Sitzung des Vorstandes nach München eingeladen.

In der alten Villa, wie der Hauptsitz der Firma intern genannt wurde, tagte der Vorstand. Zu den einzelnen Tagesordnungspunkten wurden manchmal die Bereichsdirektoren hinzugerufen. Ihr Projekt stand als Nummer 23 auf der Liste, und sie konnte sich nicht vorstellen, wie der Vorstand an nur einem Tag eine solche Liste abarbeiten konnte. Aber bereits kurz nach halb zwölf wurde sie von einer Vorstandsassistentin in den Vorraum gerufen und kurz danach von einem jungen Assistenten in den Sitzungssaal geführt. Sie bekam einen Stuhl an der Wand zugewiesen.

Natürlich war sie nervös. Sie befand sich zum ersten Mal im Zentrum der Macht des Konzerns und hatte bis in die Nacht noch Akten mit technischen oder praktischen Details gelesen. Sie fühlte sich nun zwar hundemüde, glaubte aber, auf jede Frage gewappnet zu sein.

Professor Dr. h.c. Gerhard Schmiederer, der Vorstandsvorsitzende, rief den Tagesordnungspunkt auf und gab die kurze Übersicht, die sie ihm aufgeschrieben hatte: Stand des Projektes, zu erwartender Umsatz, bislang aufgelaufene Kosten. Nächster Schritt: politische Konsultationen. Für die Einführung brauche man einen Kabinettsbeschluss. Die Abteilung Politik und Außenbeziehungen würde damit betraut. Abstimmung: Alle Hände gingen nach oben.

Ihr Projekt war abgenickt. Der junge Vorstandsassistent berührte ihren Arm, und ehe sie sich versah, war sie wieder draußen. Alles hatte geklappt, trotzdem war sie enttäuscht. Keiner der Vorstände hatte einen Einwand geäußert, nicht einmal eine Frage hatte einer von ihnen gestellt. Und dabei würde doch ihr Projekt die Waffentechnik revolutionieren, wie es ehedem nur die Erfindung des Maschinengewehrs bewirkt hatte.

Eher verunsichert als zufrieden fuhr sie von München nach Erlangen zurück.

Calw, die Straße vor Sarah Singers Haus

Den dunklen Geländewagen parkte er direkt vor ihrem Haus. Er justierte das Gerät und konnte wenig später auf dem Laptop das Innere ihrer Wohnung sehen. Die beiden Figuren sahen merkwürdig aus. Die Strahlen lieferten nur die Gestalt der beiden zurück. Gesichter waren nicht zu erkennen. Der fremde Kerl saß im Wohnzimmer und hatte einen Schreiber in der Hand, und das Weiße auf dem Tisch war wohl ein Notizblock.

Sie kam aus der Küche mit einer Flasche, die sie aus dem Tiefkühlfach geholt hatte. Er öffnete sie. Dann setzte sie sich ihm gegenüber. Die Bewegungen der beiden Figuren wurden ruhiger. Sie redeten.

Später ging sie noch einmal in die Küche. Er sah, wie sie sich mit beiden Händen an den Rücken griff, die Fingerspitzen schienen sich für einen Moment ineinander zu verknoten, dann streifte sie mit ihrer rechten Hand über die linke Schulter und mit der linken Hand über die rechte Schulter. Es dauerte einen kurzen Augenblick, bis er begriff, was sie da tat: Sie hatte ihren BH abgestreift. Dann ging sie wieder zu dem Mann ins Wohnzimmer.

Das habe ich mir doch gedacht. Er dachte dies kalt und ohne jedes Gefühl. Umso mehr wunderte er sich, dass der Mann kurz danach aufbrach.

Er folgte ihm.

In Momenten wie diesen schien seine Angst gebannt. Er wusste, was er zu tun hatte.

Kämpfen.

Action Jackson.

Falscher Alarm

Dengler rieb sich die Augen. Er hatte mehrere Stunden vor dem Bildschirm gesessen und einiges über die Sondertruppe in Erfahrung gebracht, aber was sie genau in Afghanistan taten oder getan hatten, hatte er nirgends gefunden.

Er stand auf und reckte sich. Steifbeinig ging er zum Fenster und starrte auf die Straße hinunter.

Unten stand der Kastenwagen mit Stummelantenne.

Sofort schoss Adrenalin in seine Blutbahnen. Er federte vom Fenster zurück. Hastig öffnete er den Safe, nahm seine Smith & Wesson, lud die Waffe durch und steckte sie in den Hosenbund.

Dengler rannte die Treppe hinunter und öffnete langsam die Haustür. Der Wagen stand noch am gleichen Platz. Mit der Waffe in der Hand trat er auf die Straße, ging leicht gebückt bis zur Fahrertür. Hinter dem Lenkrad sah er einen Mann, der sich zur Seite gewandt hatte und etwas im Handschuhfach suchte. Dengler riss die Wagentür auf und hielt dem Mann die Pistole an die Schläfe.

»Raus! Aber schnell!«

Der Mann sah erschrocken auf. Er war blond, hatte eine Frisur, die an Prinz Eisenherz erinnerte, und einen ebenfalls blonden Bart. Er trug abgewetzte Jeans und einen weißen Wollpullover. Sofort streckte er beide Hände in die Höhe.

»Nicht schießen«, stammelte er. »Ich habe kein Geld …«

Und sah sehr blass aus.

Es war der Antiquitätenhändler, der gegenüber dem *Basta* seinen Laden hatte.

»Schließen Sie den Wagen auf!«, sagte Dengler.

Vorsichtig, noch immer die Hände erhoben, stieg der Mann aus. Zwei türkische Jungs standen auf dem Gehweg gegenüber und beobachteten interessiert die Szene.

Der Mann schloss die hintere Wagentür auf und ließ Dengler hineinsehen.

Sechs alte Stühle standen in dem Wagen. Etwas Sägemehl lag auf dem Boden.

Mehr nicht.

»Es tut mir leid«, sagte Dengler und steckte die Waffe in den Hosenbund.

Der Mann nahm die Hände herunter. Immer noch unsicher. Langsam kehrte Farbe in sein Gesicht zurück.

»Tut mir leid. Ich habe einen schlechten Tag erwischt. Darf ich Sie zu einem Glas einladen – was immer Sie wollen«, fragte Dengler.

Der Mann zögerte, blickte sich um. Schließlich nickte er.

»Gerne. Aber nur … ohne Pistole …«

Dengler brachte die Waffe in den Safe zurück. Dann gingen sie an die Bar des *Basta* und bestellten Weißwein.

***

Als Dengler ins Büro zurückkam, lag die Antwort der Gemeindeverwaltung Remshalden in seinem Faxgerät.

Susanne Dippler war nach Stuttgart umgezogen. Sie wohnte nun am Ende der Urbanstraße, dort, wo diese auf den Kernerplatz mündete. Dengler kannte den Platz, weil sich dort das türkische Konsulat befand, vor dem Bitt- und Antragsteller oft eine Schlange bildeten, und weil eine Skulptur von Erich Hauser die Platzmitte zierte.

Dengler warf sich eine Jacke über und ging hinunter. Auf der anderen Seite der Wagnerstraße saß der Antiquitätenhändler vor seinem Laden. Als er Dengler erblickte, hob er rasch die Hand und winkte ihm.

Er hält mich wahrscheinlich für einen weiteren Verrückten in diesem an Verrückten nicht armen Viertel, dachte Dengler und winkte zurück.

Zur Urbanstraße war es nicht weit.

Dritter Bericht: Der Heckenschütze

Ich wollte nie Zivilisten töten. Ich tat mein Bestes, um es zu verhindern. Ehrlich. Einer von den Jungs, die ich erschoss, rannte mit einer Granate mit so einem Propellerantrieb die Straße hinunter. Bei einer Razzia. Das war ein Ziel für mich. Warum läuft ein Zivilist mit einer Granate durch die Gegend. Er hätte sich jederzeit umdrehen können und das Ding auf mich abschießen können. So hab ich ihn erledigt. Hinterher stellte sich heraus, dass die Granate leer war. Für den Jungen war sie ein Spielzeug.

Wir waren viel in kleineren Orten unterwegs. In Dörfern und kleineren Orten. Ich hab viel geschossen. Die Häuser dort kann man nicht mit unseren Häusern vergleichen. Sie sind zum größten Teil aus Lehm und solchem Zeug. Die Ziegel, die die verwenden, sind aus Schlacke. Da geht jedes Geschoss durch drei Häuser durch, bevor es stoppt. Wir haben immer durch mehrere Wände hindurchgeschossen.

Einmal, ich glaube während des Ramadan, wurden wir während einer Patrouille von einem Heckenschützen beschossen. Aber wir fanden den Kerl nicht. Wir wussten einfach nicht, woher die Schüsse kamen. Da fing ein Amerikaner an, ein Haus anzuzünden. Irgendeins. Ich hab auch mitgemacht. Wir schossen in das Haus. Alle. Wir alle schossen wie die Verrückten in das Haus. Niemand wusste, ob da überhaupt jemand drin war. Es ist … Solche Sachen sind einfach der hässliche Teil des Krieges.

Bei Susanne Dippler

Ihr Name stand handgeschrieben mit runden Buchstaben an der Türklingel: Susanne Dippler. Georg Dengler drückte den Klingelknopf und wartete. Nach einer kurzen Weile meldete sich eine helle Frauenstimme aus der Sprechanlage.

»Ja?«

»Mein Name ist Georg Dengler. Ich suche Klaus Holzer. Finde ich ihn bei Ihnen?«

Es knackte kurz in dem Lautsprecher. Dengler wartete auf das Brummen des Türöffners. Nichts geschah. Nach ein paar Minuten klingelte Dengler erneut.

»Ja bitte?« – Die Stimme der Frau klang ungehalten.

»Entschuldigen Sie«, sagte Dengler. »Ich wollte mit Ihnen reden. Wegen Klaus Holzer. Den suche ich eigentlich …«

»Ich habe mit Klaus nichts mehr zu schaffen«, sagte sie, »und ich will auch nicht mit irgendjemandem über ihn reden.«

Schluss.

Dengler drückte noch einmal auf den Klingelknopf, aber es rührte sich nichts mehr. Mit dieser Frau schien es Klaus Holzer gründlich verdorben zu haben. War auch er so gefährlich, wie Sarah Singer es von ihrem Mann behauptete?

Er ging zurück in sein Büro.

Auf dem Computer sah er sich über *Google Earth* die Kaserne in Calw von oben an. Das Satellitenbild zeigte erstaunlich genau Gebäude und Anlagen. Er konnte sogar einzelne Fahrzeuge erkennen, die vor einem Block parkten. An der Wache waren einige Personen zu sehen, möglicherweise Soldaten. Mit einer anderen Software würde er vielleicht sogar die Gesichter identifizieren können. Dengler druckte die Aufnahme aus und speicherte sicherheitshalber das Bild ab. Dann informierte er sich über die Zufahrtsstraßen zur Kaserne. Er schaute nach einem Platz, wo er unbemerkt parken konnte. Es wurde Zeit, dass er diese Truppe besuchte.

Juli 2001: Erlangen, Katharina Petrys Büro

Katharina Petry saß an ihrem Schreibtisch und telefonierte. Heute trug sie eine Fliege aus rotem Samt. Bei einem Besuch der spanischen Flugausstellung in Madrid hatte sie diese Fliege auf einem riesigen Flohmarkt gesehen und sofort gekauft. Sie brauchte das. Zuvor hatte sie bei einem Hütchenspieler zweihundert Euro verloren. Und das wurmte sie. Dann hatte sie an dem Stand einer steinalten Spanierin die samtrote Fliege entdeckt und sofort gekauft.

Dabei war sie sich ihrer Sache so sicher gewesen. Sie hatte dem Hütchenspieler fast eine halbe Stunde lang zugesehen, und bei fast allen Spielrunden wusste sie genau, unter welchem der drei Fingerhüte die kleine schwarze Kugel verborgen war. Die umstehenden Spieler jedoch verloren gegen den Mann. Sie dagegen hätte jedes Spiel gewonnen. Da wandte der Mann sich plötzlich an sie und forderte sie auf, zu spielen. Einsatz zehn Euro. Das war kein Risiko. Sie spielte und gewann. Der Mann gab ihr den Gewinn sofort. Und bot eine neue Runde an. Einsatz zwanzig Euro. Sie gewann erneut.

Der Mann schien verzweifelt und bot ihr ein weiteres Spiel an. Zweihundert Euro. Nun war sie vorsichtig. Aber sie schien den Hütchenspieler in seiner professionellen Ehre verletzt zu haben. Spanischer Macho eben. Das freute sie. Sie gab ihm das Geld. Der Mann rückte die Fingerhüte hin und her, her und hin, und sie ließ den richtigen Hut, den mit der Kugel, nicht aus den Augen. Als der Spieler geendet hatte, stand eine große Gruppe Zuschauer um sie herum. Sie musste einen Fingerhut umdrehen. Langsam griff sie nach dem, unter dem sie die Kugel vermutete. Ein Zuschauer schüttelte leicht den Kopf. Sie zögerte. Dann überlegte sie, dass dieser Zuschauer bestimmt ein Kumpane des Spielers sei, der sie von ihrem Gewinn abbringen sollte. Entschlossen drehte sie das Hütchen um. Der Platz darunter war leer. Der Spieler drehte den Fingerhut daneben um. Da lag die Kugel, schwarz und glänzend. Plötzlich rief jemand *Policia,* und in Windeseile löste sich die Gruppe auf, der Hütchenspieler und seine Mitstreiter stoben in alle Himmelsrichtungen davon, mit ihnen verschwanden ihre zweihundert Euro.

Bis heute wurde sie den Verdacht nicht los, dass sie einer äußerst cleveren Inszenierung auf den Leim gegangen war. Und das ärgerte sie.

Aber das umständliche und langwierige Theater, das die Kommunikationsabteilung Politik und Außenbeziehungen seit der entscheidenden Vorstandssitzung im letzten Jahr veranstaltet hatte, hatte sie noch viel mehr aufgeregt. Katharina Petry liebte Effizienz. Sie liebte Schnelligkeit. Sie liebte rasche Ergebnisse. Und ihr Projekt brauchte jetzt Effizienz und Schnelligkeit und vor allem Ergebnisse. Möglichst bald.

Die Kommunikationsabteilung hatte sich wegen eines Termins mit dem Kanzler an dessen Staatsminister gewandt. Sie hatten auf die Dringlichkeit hingewiesen, und Katharina Petry hatte ein ausführliches Dossier über die neue Waffe geschrieben und die wichtigsten Argumente übersichtlich auf zwei DIN-A4-Seiten zusammengefasst. Politiker und Vorstände, das war ihre leidvolle Erfahrung, seit sie Direktorin geworden war, lasen nicht mehr als zwei DIN-A4-Seiten, egal, wie komplex das Thema auch sein mochte.

Zwei Monate später erhielt sie von der Kommunikationsabteilung die Mitteilung, der Staatsminister habe sich nun mit dem Kanzler besprochen und werde sich wegen eines Termins melden. Das dauerte noch einmal drei Wochen. Und nun stimmten das Büro des Kanzlers und das Vorstandssekretariat der MensSys AG einen gemeinsamen Termin ab. Der wiederum fand sich viereinhalb Monate später.

Währenddessen testeten die Ingenieure im Labor und in der Qualitätssicherung das System. Aber das war nichts weiter als ein Beschäftigungsprogramm. Sie war wütend. Das System musste nun unter realistischen Bedingungen getestet werden. Niemand im Labor konnte die Bedingungen des Einsatzfalles ansatzweise realistisch simulieren. Auch die Offiziere des Amtes für Wehrtechnik und Beschaffung waren keine Hilfe. Von Gefechtssituationen hatte sie peinlich wenig Ahnung. Petry brauchte einen Test ihres Systems unter Echtzeitbedingungen. Dringend.

In der Zwischenzeit erarbeitete das Kanzleramt die Vorlage für ihren Chef – ausführlicher Lebenslauf aller Gesprächsteilnehmer, Umsatzzahlen, Projektbeschreibung. Und das Gleiche bereitete Katharina Petry mit der Kommunikationsabteilung für den Vorstandsvorsitzenden vor: ausführlicher Lebenslauf des Staatsministers, des Verteidigungsministers und des Kanzlers sowie der Referenten, die an dem Gespräch teilnehmen sollten. Dann wurden die Kfz-Zeichen der Fahrzeuge nach Berlin gemeldet, mit denen die Manager des MensSys-Konzerns anreisen würden.

***

»Wir haben heute ein ernstes Thema. Aber ich hoffe, ich habe trotzdem einen angemessenen Rahmen dafür gefunden. Wir haben ein Mittagessen vorbereitet, das Ihnen vielleicht gefallen wird.« Der Kanzler gab Katharina Petry einen Handkuss und machte eine launige Bemerkung über ihre Fliege. Heute hatte sie eine gewählt, deren Farbe zwischen Rot und Rosa lag. Rot war zwar die Farbe der Partei des Kanzlers, aber sie nahm an, dass diese Farbe ihm persönlich nicht so lag.

Das Vorgeplänkel hielten die Männer kurz. Der Kanzler hatte in seiner Zeit als Rechtsanwalt einmal einen Prozess gegen den Konzern geführt – und verloren.

»Ich werde mich heute nicht dafür revanchieren«, sagte er lachend.

Es war eine große Runde. Der Verteidigungsminister war anwesend, Dr. Steinmüller, der Staatsminister des Kanzleramts, und einige hochrangige Beamte.

Zu ihrem Erstaunen hatte der Vorstandsvorsitzende das ganze Projekt präzise im Kopf.

»Herr Bundeskanzler«, sagte er. »Wir stehen vor einer technischen Revolution in der Waffentechnik. Wir haben zu entscheiden, ob Deutschland auf diesem Markt vorne mitspielt oder das Feld den Amerikanern überlässt. Wir, die MensSys AG, haben noch einen gewissen technischen Vorsprung, aber ohne politische Hilfe werden wir ihn rasch verlieren. Die Franzosen arbeiten an ähnlichen Systemen und die Amerikaner auch.«

Der Kanzler bat den Verteidigungsminister um eine Stellungnahme.

»Wir sind uns nicht sicher, ob wir ein solches System wirklich benötigen, und wenn ja – ob es nicht billiger ist, es von den Amerikanern zu kaufen, wenn die es entwickelt haben«, sagte er.

Katharina Petry lächelte. Sie spielen *good guy, bad guy*. Der Kanzler gibt den Guten und der Verteidigungsminister den Bösen.

Der Verteidigungsminister machte eine Pause.

Als der Kanzler nickte, sagte er: »Bitte, Frau Petry.«

Sie sah, dass der Kanzler in einem Dossier blätterte – offensichtlich in dem mit ihrem Lebenslauf.

»Herr Bundeskanzler, meine Herren«, sagte sie. »Sie alle kennen die Mikrowelle als nützlichen Helfer im Haushalt. Basierend auf dieser Technik entwickelt sich nun eine Schlüsseltechnologie der Zukunft. Sie funktioniert ähnlich wie die uns allen so vertraute Mikrowelle aus der Küche. Sie stellen eine Tasse Milch in das Gerät, und die Mikrostrahlen erhitzen die Milch, aber die Tasse wird nicht wärmer. Sie können sie unbeschadet anfassen. Erhitzt wird nur, was Wasser oder Flüssigkeit enthält. Die Strahlen, die wir mit unseren Waffen produzieren, greifen daher feindliche Kämpfer selbst in Häusern, hinter Schutzschilden oder sogar in Höhlen an. Die Strahlen gehen durch Hindernisse hindurch und erhitzen das Blut. Der Rest bleibt unberührt. Sogar der Kleidung sieht man nichts an. Auf der Basis dieser Technologie entwickeln wir auch eine Unterart des Fernglases. Mit diesem kann man durch Mauern und andere feste Materialien sehen. Es eröffnen sich bisher ungeahnte Möglichkeiten …«

Nun war sie in ihrem Element. Nach einer Viertelstunde beendete sie ihren Vortrag. Als sie sich setzte, spürte sie, dass ihre Wangen glühten.

Der Kanzler musterte sie, und in seinem Blick lag etwas Unverschämtes.

»Und was werden die Leute, was wird die Öffentlichkeit zu so einer brutalen Waffe sagen?«

»Sie werden sich freuen, dass es sie gibt …?«

Der Kanzler hob die Augenbrauen.

»Sehen Sie«, sagte Katharina Petry. »Es handelt sich um eine unblutige Waffe. Wir werden sie in der Öffentlichkeit als die endlich gefundene Möglichkeit verkaufen, unblutig zum Beispiele gegen Krawalle oder Demonstrationen vorzugehen. Es humanisiert den Krieg. Das wird die Linie sein. Diese Waffe wird Leben schützen. Man muss nicht mehr schießen. Es kann in absehbarer Zeit den Wasserwerfer ablösen.«

Der Kanzler fixierte sie.

»Aber es kann auch …«

»Alles eine Frage der Dosierung«, sagte der Vorstandsvorsitzende.

»Und was kann ich tun?«, fragte der Kanzler.

»Wir müssen das System unter Echtzeitbedingungen testen. Mit einer kleinen Mannschaft.«

»Wo?«

»Dort, wo deutsche Truppen stehen.«

»Und der Bundesrat – können wir sicher sein, dass die Bayern mitziehen?«

Der Vorstandsvorsitzende lehnte sich zurück.

»Aber ja«, sagte er. »Der bayerische Landtag hat auf unseren

Vorstoß hin bereits das Polizeigesetz geändert. Der testweise Betrieb der neuen Waffe ist in Bayern kein Problem.«

Später saßen sie beim Essen.

»Es ist Zeit für eine Grundsatzentscheidung«, sagte der Kanzler und erhob sich mit einem Glas in der Hand. »Wir stimmen Ihrem Vorhaben zu. Die Details werden auf der Arbeitsebene erledigt.«

Alle hoben die Gläser.

Dann redeten sie darüber, dass der FC Bayern zwei Spiele in Folge verloren hatte.

Erinnerungen

»Ist irgendetwas?«, fragte Olga, als sie am späten Abend in ihrer Wohnung saßen. Dengler hatte eine Flasche Brunello mitgebracht, und sie hatte eine CD des Pianisten Abdullah Ibrahim aufgelegt. Die Musik verbreitete eine entspannte Stimmung. »Du bist irgendwie verändert«, sagte sie und setzte sich neben ihn.

Er küsste sie, um nichts sagen zu müssen, und sofort tat ihm diese kleine Unaufrichtigkeit leid. Er hatte Olga nichts von Sarah Singers Annäherungsversuch erzählt und hatte auch nicht vor, dies nachzuholen. Er hatte einmal bei einer französischen Autorin gelesen, dass deren männlicher Held die Liebe liebte, aber ihre Folgen nicht schätzte.

Er wollte Olga keinen Grund zur Eifersucht geben, kein Missverständnis zwischen ihnen zulassen.

»Ich hatte einmal als Junge einen Blutsbruder. Er kam aus der Stadt in den Ferien zu uns auf den Hof. Ich dachte, wir wären Freunde fürs Leben.«

Und nun erzählte er ihr, wie er in dem Tunnel fast ertrunken wäre und von seiner maßlosen Enttäuschung über den Verrat seines besten Freundes.

»Und du hast diesen Jungen nie mehr wiedergesehen?«, fragte sie, die Stirn leicht gerunzelt.

Er trank einen Schluck Rotwein.

All das war so lange her und doch noch so frisch in seiner Erinnerung.

»Nein. Ich habe von dem ganzen Wirbel im Dorf nichts mitbekommen, die Rettungsaktion muss ziemlich dramatisch gewesen sein. Ich lag drei Wochen im Krankenhaus. Als ich wieder bei Bewusstsein war, habe ich nach Florian gefragt, aber meine Mutter hat mir nur erzählt, dass seine Familie gekommen sei und ihn abgeholt habe.«

Er schwieg.

Sie berührte ihn leicht an der Schulter.

»Und der Mann, den du nun suchst, dieser Soldat – ist dein früherer Blutsbruder?«

»Ja. Und morgen Nachmittag stehe ich vor seiner Kaserne und warte auf jemanden, der vielleicht weiß, wo er sich versteckt.«

***

Die Graf-Zeppelin-Kaserne befand sich unmittelbar hinter einem kleinen Industriegebiet. Er fuhr eine Anhöhe hinauf, kam an mehreren Autohäusern vorbei, bevor die Straße zur Wache vor der Kaserne einbog. Dort befanden sich einige Kleingärten, die er als Sichtschutz nutzen konnte.

Die Straße »Im Hain« war kaum mehr als ein Feldweg, aber hier konnte er den Wagen abstellen und hatte gleichzeitig einen guten Blick auf die Wache.

Dengler sah auf die Uhr. Es war halb fünf. Um diese Zeit, so nahm er an, wäre für die meisten Soldaten Dienstschluss, und sie würden nach Hause fahren. Berufssoldaten wohnen nicht oder nur selten in der Kaserne. Das Foto von Klaus Holzer hatte er auf den Schoß gelegt, sodass es von außen nicht sichtbar war, aber er es jederzeit mit den Personen vergleichen konnte, die zu Fuß oder mit einem Auto aus der Kaserne kamen. Ab halb fünf verließen die ersten Pkws den Hof. Er konnte immer nur einen kurzen Blick auf die Fahrer werfen, so schnell fuhren sie an der Seitenstraße vorbei.

Wenn er wenigstens wüsste, welchen Wagen Holzer fuhr.

Über die Auskunft ließ er sich mit dessen früherer Freundin verbinden.

»Dippler«, meldete sie sich nach dem ersten Klingeln.

»Bitte legen Sie nicht auf«, sagte Dengler. »Ich war gestern an Ihrer Haustür. Ich habe nur eine einzige Frage: Welchen Wagen fährt Klaus Holzer?«

»Einen weißen GTI«, sagte sie. »Was soll das alles eigentlich?

Lassen Sie mich endlich in Ruhe.« Sie legte auf.

An diesem Nachmittag verließ kein weißer GTI die Kaserne.

Am nächsten Tag auch nicht.

★★★

Die Aussichten, Klaus Holzer auf diese Weise zu finden, waren nicht sehr hoch. Vielleicht war er in Afghanistan. Vielleicht sonst wo im Einsatz. Vielleicht hatte er Urlaub oder war irgendwo auf der Welt, wo er Fallschirmspringen oder was auch immer trainierte.

Am dritten Tag sah er ihn.

In einem weißen GTI.

Dengler ließ etwa achtzig Meter Abstand und folgte dem Wagen.

Holzer fuhr durch das Industriegebiet, an einem Bestattungsunternehmen, einer Schnapsbrennerei und an dem Königreichsaal der Zeugen Jehovas vorbei und lenkte den GTI dann über den Fluss Nagold in das Zentrum von Calw. Dort parkte er vor einem alten Fachwerkhaus. Dengler sah, dass der Mann sich nicht umblickte, als er den Wagen abschloss. Er erwartete nicht, verfolgt zu werden. Dengler lenkte das auffällig rot lackierte Stadtmobil in eine Seitenstraße, stieg aus und folgte Holzer.

Am Marktplatz betrat Holzer ein Lokal und setzte sich an einen Tisch, den Dengler von außen nicht beobachten konnte. Er stellte sich unter die Arkaden des historischen Rathauses und wartete.

Nach einer halben Stunde ging er an dem Lokal vorbei und warf unauffällig einen Blick durch das Fenster. Holzer saß allein an einem Tisch und hatte einen vollen Teller vor sich stehen und ein Glas Bier. Dengler lief zurück zum Rathaus. Wie viele Stunden seines Lebens hatte er mit Beschattungen verbracht? Viel zu viele! Einige seiner Kollegen beim BKA hatten sich durch das lange Sitzen auf Autositzen ernsthafte

Wirbelsäulenschäden zugezogen. Kaputter Rücken – eine typische Kripo-Berufskrankheit.

Nach anderthalb Stunden verließ Holzer das Lokal. Er ging zurück zu seinem Wagen und fuhr nach der Brücke links, in Richtung Stuttgart.

Dengler folgte ihm. Es war mittlerweile etwas dunkler geworden, sodass er annehmen konnte, dass die knallrote Farbe seines Wagens nicht mehr so deutlich zu sehen war. Auf der Straße herrschte reger Verkehr, Wagen an Wagen reihte sich, und kurz vor Leonberg standen sie im Stau. Dengler hielt Abstand, ließ immer drei oder vier Wagen zwischen sich und dem GTI.

Holzer war ein unauffälliger Fahrer. Er unternahm keine riskanten Überholmanöver, sondern blieb in der immer länger werdenden Kolonne. Sie fuhren über den Schattenring durch den Heslacher Tunnel hinunter in die Stuttgarter Innenstadt; und für einen Augenblick dachte Dengler, seine Zielperson wollte Susanne Dippler am Kernerplatz besuchen, doch am Charlottenplatz reihte er sich rechts ein und fuhr in Richtung Neue Weinsteige und Degerloch wieder den Berg hinauf.

Mittlerweile war es dunkel. Alle Autofahrer schalteten die Scheinwerfer an. Von jetzt an wurde die Überwachung schwieriger. Er durfte Holzers Wagen nicht mehr aus den Augen lassen. Entgegenkommende Wagen blendeten ihn. Dengler war erleichtert, als Holzer die Weinsteige verließ und in Richtung Stuttgarter Fernsehturm abbog.

Auf dem großen Parkplatz unter dem Fernsehturm waren nur noch wenige Plätze frei. Dengler stellte das rote Stadtmobil direkt an der Einfahrt unter einem Baum ab. Hier war zwar Halteverbot, aber nun konnte Holzer ihn nicht bemerken, der weiter vorne in eine Haltebucht eingebogen war und nun ausstieg. Dengler folgte ihm, als Holzer den Parkplatz in Richtung der Sportanlagen verließ.

Hip-Hop

Holzer marschierte zielstrebig in Richtung des Stadions der Stuttgarter Kickers, das nun nach einem türkischen Milchproduktehersteller benannt war. Sie waren nicht allein auf diesem Weg. Zahlreiche Jugendliche hatten das gleiche Ziel. Je näher sie dem Stadion kamen, umso dichter wurden die Gruppen der Jugendlichen, die meisten waren in Jakobs Alter oder nur wenig älter. Schließlich zog eine endlos wirkende Prozession zu dem Stadion. Dengler war es recht. Zwar fiel er auf, da er älter war, aber er folgte Holzer verdeckt durch einen Pulk junger Punks, die laut debattierten, jeder mit einer Bierflasche in der Hand.

Beim Stadion hatte sich vor den Kassenhäuschen eine lange Schlange gebildet, und die Punks stellten sich hinten an. Holzer lief, ohne sich umzusehen, an der Schlange vorbei und marschierte mit großen Schritten auf den Eingang zum Stadion zu. Dengler sah, wie er ein Ticket vorzeigte und sofort eingelassen wurde.

Dengler musste hinterher. Sonst würde er Holzer verlieren. Er ging vor zur Kasse. Zwei Mädchen, Dengler schätzte sie kaum älter als dreizehn, bezahlten gerade ihre Eintrittskarten. Dahinter stand umschlungen ein Pärchen, auch sie nur wenig älter.

»Ich zahle euch beiden die Tickets, wenn ihr mir auch eine Karte kauft«, sagte Dengler zu ihnen.

Das Mädchen sah ihn überrascht an, aber der Junge reagierte nicht.

»He – nicht vordrängeln!«, rief eine Stimme aus der Schlange.

»Nicht lange überlegen. Sonst frage ich jemand anderes«, sagte Dengler und hielt den beiden einen Hunderteuroschein hin.

»Lass Opa doch anstehen«, sagte der Junge, aber das Mädchen griff nach dem Schein. Jetzt waren die beiden an der Reihe.

»Dreimal«, sagte sie.

Kurz danach war Dengler im Stadion. In der Mitte des Fußballfeldes erhob sich eine große, überdachte Bühne. Darauf standen neben zahlreichen Lautsprecherboxen, einem Schlagzeug und sieben Mikrophonen zahlreiche Gitarren.

Das Publikum, das sich vor der Bühne drängte, war zwischen fünfzehn und fünfundzwanzig. Dengler fühlte sich wie ein Fremdkörper in der Menge.

Er fluchte. Diese Veranstaltung war ein idealer Filter, um Verfolger sichtbar zu machen. Unter diesen vier- oder fünfhundert Menschen war er sofort zu erkennen.

Holzer allerdings auch. Dengler sah ihn am Rande der Menge stehen, mit dem Rücken gegen die Bande des Spielfelds gelehnt.

Dengler versteckte sich hinter einer Gruppe von vier jungen Kerlen.

»Leute, bitte bleibt einfach vor mir stehen und verdeckt mich, wenn's geht«, sagte er zu ihnen, als wäre es Teil eines Spiels.

»Warum denn das, Alter?«, fragte einer.

»Meine Tochter ist auch auf dem Konzert. Und sie will nicht, dass ihr Vater hier aufkreuzt.«

»Da hat sie vollkommen recht«, sagte einer, aber immerhin rückte er ein bisschen näher zu seinem Kumpel auf, sodass Dengler nun vor allen Blicken geschützt war.

Plötzlich, unvermittelt und laut setzte die Musik ein, einige Takte, die Dengler bekannt vorkamen. Es dauerte eine Weile, bis er sie erkannte. Es war das Intro von In-A-Gadda-Da-Vida von Iron Butterfly. Fast hätte er protestiert – das war doch seine Musik. Wieso kannte das junge Gemüse dieses Lied? Sie klatschten alle laut, die vier Jungs vor ihm rissen die Arme hoch, streckten dabei drei Finger in die Höhe.

Der Song brach unvermittelt ab und ging über in einen Rap. Dengler konnte den Text nicht verstehen. Er erhob sich ein Stück. Holzer stand noch immer an der Bande.

Auf der Bühne beendete die Band den ersten Song. Frenetischer Applaus. Dann rappten sie erneut.

Wenn der Vorhang fällt sieh hinter die Kulissen
Die Bösen sind oft gut und die Guten sind gerissen
Geblendet vom Szenario erkennt man nicht
Die wahren Dramen spielen nicht im Rampenlicht

Das war der Song, den Jakob ihm auf seinem iPod vorgespielt hatte.

Der Sänger war ein schmaler junger Mann mit Baseballmütze.

»Max, komm runter von der Bühne und mach mir ein Kind«, kreischte es hinter Dengler.

Erschrocken drehte er sich um. Drei Mädels schrien die Aufforderung erneut und schüttelten sich dann vor Lachen. Sie waren kaum älter als fünfzehn.

Die Band setzte wieder ein.

Nass bis auf die Haut, so stand sie da
Um uns herum war es laut und wir kamen uns nah ...
Anna wie war das da bei Dada
Du bist von hinten, wie von vorne A-N-N-A

Alle in dem Stadion, außer Dengler, schienen den Text zu kennen. Aus mehreren Hundert Kehlen klang es:

Du bist von hinten, wie von vorne A-N-N-A

Dengler erinnerte sich an ein Gedicht von Kurt Schwitters, das er als junger Mann gemocht hatte. Wie hieß es noch? *An Anna Blume.*

Und du, du Herrlichste von allen,
Du bist von hinten wie von vorne:
A-----N-----N-----A.
Anna Blume, du tropfes Tier,
Ich-----liebe-----Dir!

So oder so ähnlich hatte das Gedicht gelautet. So lange her!
Für einen Augenblick nur hatte er sich dem Text und dem
Rhythmus des Liedes überlassen. Als er aufsah, war Klaus
Holzer verschwunden.

Dengler fluchte und schob sich durch die singenden Teen-
ager zum Ausgang. Dort blieb er schwer atmend stehen. Er
sah sich um und erkannte den Rücken Holzers, der gerade
um die Ecke verschwand. Dengler spurtete los.

Klaus Holzer ging mit langen Schritten zurück zum Parkplatz.

Nun war sich Dengler sicher: Das Hip-Hop-Konzert war für
Holzer eine Schleuse gewesen, um Verfolger abzuhängen.

Doch er konnte nicht einschätzen, ob Holzer ihn gesehen
hatte.

Als er die Ecke erreichte, hinter der seine Zielperson verschwunden war, fiel er in einen schnelleren Schritt. Zwanzig
Meter vor sich sah er die hoch aufragende Gestalt seiner
Zielperson, die in weit ausgreifenden Schritten zurück zum
Parkplatz eilte. Dengler blieb in gleichbleibendem Abstand
hinter ihm. Da es mittlerweile dunkel war, hoffte Dengler,
dass er nicht bemerkt worden war.

Auf dem Parkplatz, unmittelbar neben dem Weg zum Eingang des Fernsehturms, blieb Holzer stehen. Dengler sah,
dass er auf die Uhr schaute. Er schien auf jemanden zu
warten. Dengler schlenderte über den Parkplatz in Richtung
seines Stadtmobils und behielt Holzer im Auge.

Plötzlich glitt ein dunkler Kastenwagen heran und hielt neben Holzer. Dengler hörte eine schwere Wagentür klacken,
dann fuhr der Wagen weiter. Holzer war eingestiegen. Georg

Dengler rannte zum Auto und ließ sich hinter das Steuer fallen. Er startete den Wagen. Doch als er losfahren wollte, war der dunkle Wagen bereits verschwunden. Dengler fluchte.

Er würde warten müssen. Noch immer stand Holzers Wagen auf dem Parkplatz. Er legte seine Kamera neben sich auf den Beifahrersitz.

11. September 2001: Erlangen, Katharina Petrys Wohnung

Die meisten Menschen erinnern sich an diesen Tag. Viele können sogar genau erzählen, wann und wie sie die Nachricht von den Angriffen auf New York und Washington erhalten haben. Katharina Petry arbeitete an diesem Tag zu Hause. Sie war beim Lesen auf dem Sofa eingeschlafen, als ihre Mutter anrief.

»Kind«, schrie sie aus dem Hörer. »Es gibt Krieg! Amerika wurde angegriffen.«

Im ersten Augenblick dachte sie, ihre Mutter habe zu viel getrunken. Das wäre nicht der erste Anruf, bei dem sie sich mit unsicherer Aussprache bei ihrer Tochter gemeldet hätte. Sie lebte allein in Mülheim an der Ruhr in einer idyllischen Villa, aus der vier Jahre nach ihrer Geburt Katharinas Vater und dann, sofort nach dem ersehnten Abitur, sie selbst geflohen war.

Doch diesmal schien ihre Mutter nüchtern zu sein, in ihrer Stimme lag der ihrer Tochter wohlvertraute panische Unterton.

»Amerika wurde angegriffen«, schrie sie ins Telefon. »Die Zwillingstürme brennen.«

Dann hörte sie ihre Mutter schluchzen.

»Es gibt bestimmt Krieg ...«

Und trotzig, als sie spürte, ihre Tochter glaubte ihr kein Wort: »Mach sofort das Fernsehen an. Da kannst du es sehen.«

Mit der Linken fischte Katharina Petry die Fernbedienung vom Tisch und schaltete auf CNN. Sie sah den ersten Jet in den Turm rasen. Einmal. Zweimal. Dreimal. Fasziniert beobachtete sie die Endlosschleife des Senders, konzentriert wie bei einer buddhistischen Übung. Sie drehte den Ton ab. Wieder Anflug, Einschlag, Explosion. Anflug, Einschlag, Explosion. Anflug, Einschlag, Explosion. Ihr Hirn leerte sich. Sie legte sich auf den Teppich vor dem Fernseher und starrte auf den Bildschirm. Anflug, Einschlag, Explosion. Es wird Krieg geben, hörte sie die Stimme ihrer Mutter. Anflug, Einschlag, Explosion.

Im Nachhinein hätte sie nicht sagen können, wie lange sie vor dem Fernseher gelegen und dem Inferno zugesehen hatte. Erst allmählich kehrten ihre Gedanken zurück. Mit der Stimme ihrer Mutter: Es wird Krieg geben. Sie hatte recht. Es wird Krieg geben. Gegen wen, konnte sie sich noch nicht vorstellen, aber es war klar, dass die USA antworten würden.

Es würde Krieg geben. Und wir werden uns nicht heraushalten können, dachte sie. Nach dem Gespräch im Bundeskanzleramt hatte sie von der Bundesregierung nichts mehr gehört.

Plötzlich stand es mit klaren großen Lettern vor ihrem inneren Auge: Das ist die Gelegenheit.

Trunken wie eine Schlafwandlerin stand sie auf und nahm das Telefon wieder in die Hand. Durch die großen Fensterscheiben blickte sie auf Erlangen hinunter. Sie wählte die Nummer ihres Chefs.

»Ja, guten Tag, Herr Dr. Kuhnert, Petry hier ... Ja, habe ich. Entsetzlich. Ich sehe es auf CNN. Ah, Sie auch. Wissen Sie, ich denke über die Folgen nach. Für Deutschland. Und uns, den Konzern. Es wird große Veränderungen geben ... Ja, da haben Sie ganz recht. Deutschland muss jetzt an der Seite der Amerikaner stehen. Sie brauchen unsere uneingeschränkte Solidarität. Aber das ist für den Konzern *die* Gelegenheit. Ich denke an unser Projekt. Wir haben keine Fortschritte erzielt im politischen Bereich. Aber jetzt ...«

Als sie auflegte, wunderte sie sich, wie schnell er begriffen hatte, dass dies eine Chance war, die sich dem Konzern so schnell nicht wieder bieten würde. Sie hielt Dr. Kuhnert für nicht sehr intelligent, und sie selbst würde sicher viel besser den Bereich *Defense* im Vorstand vertreten können. Aber dazu musste Delta III sich endlich in einem Echtzeiteinsatz bewähren.

***

»Ja. Kuhnert hier. Bitte geben Sie mir doch Professor Schmiederer … Ja. Trotzdem. Es ist wichtig … Ja, danke. – Gerhard? Guten Morgen, Michael hier. Du bist im Bilde? … Ja, ganz schrecklich … Auf keinen Fall! Deutschland muss seiner Verantwortung gerecht werden. Weißt du schon irgendetwas aus Berlin? … Mmh. Für uns, also unseren Bereich … Ja, ich habe mit der kleinen Petry telefoniert. Ja, die Ehrgeizige. Die mit der Fliege, die uns alle mal beerben will. Der habe ich Beine gemacht. Das ist die Gelegenheit für ihr Delta-III-Projekt. Wir haben so lange nichts mehr gehört aus Berlin … Ja, das Berliner Büro ist dran … Aber die Karten werden jetzt neu gemischt. Ich habe da drei Projekte, die wir zur Verfügung stellen können. Ja. Genau …«

»MensSys AG. Büro von Herrn Prof. Dr. Schmiederer. Ich habe ein dringendes Telefonat für den Staatsminister Herrn Dr. Steinmüller. Ja. Selbstverständlich. Ich glaube, es ist sehr dringend.«
»Schmiederer. Guten Tag, Herr Staatssekretär. Sie haben bestimmt jetzt einiges um die Ohren. Ich will Ihnen die Unterstützung der MensSys AG zusichern, was immer Sie jetzt beschließen. … Nein, das ist doch selbstverständlich. Sie haben unsere uneingeschränkte Solidarität. Das geht doch uns alle … Wie will die Bundesregierung denn auf diese Scheiße reagieren, entschuldigen Sie den Ausdruck. Wir müssen da jetzt dabei sein … Sie erinnern sich noch an unser Angebot der Entwicklung von Delta III. Das ist jetzt aktuell.«

***

Für Katharina Petry waren die nächsten Tage voll untätiger Spannung. Sie verfolgte die Nachrichten, las die Kommentare, die die US-Regierung lobten, weil diese sich zu nichts »hinreißen« ließ, und wartete ab. Erst als sie den Kanzler vor die Presse treten und die »uneingeschränkte Solidarität mit den USA« verkünden sah, wusste sie, dass sie Arbeit bekommen würde. Endlich.

Verfolgung

Fast zwei Stunden saß Georg Dengler unter dem beleuchteten Fernsehturm hinter dem Steuer des Stadtmobils und wartete. Warten war er gewohnt. Bei solchen Überwachungen glitt er in ein merkwürdiges Zwischenstadium zwischen Wachen und Träumen. Auch heute wieder. Obwohl er ahnte, wer in dem Kastenwagen neben Klaus Holzer saß, war er ruhig und konzentriert. Es war wie immer in solchen Fällen so, als reduziere er seine Lebensenergie auf ein Minimum, wie eine Echse, die ihren Herzschlag senkt, um eine Trockenzeit oder einen bitteren Winter zu überstehen. Nur seinen Wahrnehmungsapparat regulierte er nicht herunter, er sah und hörte alles, was in seiner Umgebung vor sich ging, und daher war er sofort hellwach, als der schwarze Wagen auf dem Parkplatz auftauchte, nur kurz hielt, um Klaus Holzer aussteigen zu lassen, und gleich weiterfuhr.

Dengler schoss drei Bilder von dem Auto, dann folgte er ihm. Holzer kannte er. Ihn würde er wiederfinden. Aber den Fahrer des schwarzen Wagens wollte er unbedingt kennenlernen.

Mit ihm hatte er einiges zu bereden.

Der dunkle Wagen bog nach links in Richtung Degerloch ab. Dengler folgte ihm. Wieder einmal verfluchte er die knallrote Farbe des Stadtmobils, aber immerhin war es nun ganz dunkel. Dengler hoffte, seine Zielperson würde die Verfolgung nicht bemerken.

In Degerloch bog der Wagen nach rechts ab, fädelte sich in die Neue Weinsteige Richtung Stadtmitte ein. Dengler blieb zwei Wagen hinter ihm.

Vierter Bericht: Kandahar

Wir durften nicht einmal allein, ohne amerikanische Aufsicht, ihre Gefangenen bewachen. Ich wurde ein paarmal zusammen mit einem Kameraden eingeteilt, ich darf den Namen nicht sagen. Aber es war mein Buddy, mein engster Partner. Wir schoben zusammen Wache in Kandahar. In einem Gefangenenlager. Da sammelten die Amerikaner alles, was ihnen so in die Hände fiel. Drum herum ein großer Zaun. Und wir zu zweit immer auf und ab patrouilliert. Eines Abends ruft uns ein amerikanischer Offizier und erzählt uns, er hätte hier einen deutschen Gefangenen. Den wollten wir natürlich sehen. Er geht mit uns an den Zaun, deutet auf eine der Gestalten, die da drin auf dem Boden kauern.

»That's him. That's the German guy.«

Wie guckten uns den Kerl an. Langer Bart wie ein Afghane. Sah ziemlich mitgenommen aus. Es war ja eiskalt dort, und die Gefangenen mussten praktisch auf dem Boden schlafen. Ohne Decken. Einmal hab ich auch gesehen, wie die Amerikaner sie fütterten. Anders kann ich das nicht nennen. Sie warfen Brotlaibe über den Zaun. In den Dreck. Es war wie im Zoo.

In den Augen des Langbärtigen glimmte so was wie Hoffnung auf, als er uns sah. Vielleicht erkannte er die deutschen Farben, die an unseren Ärmeln aufgenäht waren.

»Falsche Seite ausgesucht«, sagte mein Buddy. »Guck wieder auf den Boden.«

Später ließen wir ihn zu unserem Lkw kommen. Ein paar Amerikaner brachten ihn uns gefesselt und warfen ihn vor uns auf den Boden. Mein Buddy schnappte ihn sich, zog ihn an den Haaren hoch.

»Weißt du, wer wir sind, du Arschloch?«, schrie er ihn an.

Der Kerl schwieg.

»Wir sind die deutsche Kraft!«, schrie mein Buddy.

Dann rammte er den Kopf des Kerls auf den Boden.

Ich hatte das Gefühl, ich müsste auch etwas tun, und gab ihm einen Tritt in die Seite.

Zweiter Angriff

Der schwarze Wagen ließ sich in dem Verkehrsfluss der Stadt leichter verfolgen. Allein durch seine Größe konnte Dengler ihn gut im Auge behalten. Der Wagen blieb inmitten der endlosen Karawane, die auf der Neuen Weinsteige hinunter in die Stadt fuhr. Unterhalb der Straßenbahnhaltestelle Bopser scherte der dunkle Wagen plötzlich in eine freie Haltebucht ein. Dengler blieb nichts anderes übrig, als das Überwachungsobjekt zu überholen. Er versuchte den Fahrer zu identifizieren, als er auf gleicher Höhe war, doch die Scheiben waren getönt. Er konnte nichts erkennen.

Dengler fluchte leise vor sich hin. Plötzliches Halten war das übliche Mittel, Verfolger abzuschütteln. Es funktionierte, wenn der Verfolger selbst nicht halten konnte und dadurch gezwungen war, weiterzufahren.

Doch Dengler hatte Glück. Nach fünfzig Metern bog ein grüner Passat aus einer Parkbucht, und Dengler nutzte die Gelegenheit und stellte das Stadtmobil ab. Den Motor ließ er laufen. Im Rückspiegel sah er, wie der Fahrer des schwarzen Kastenwagens ausstieg, und fotografierte ihn mithilfe des Rückspiegels. Doch er konnte das Gesicht nicht erkennen. Groß gewachsen, athletische Gestalt, dunkle Jeans, dunkelblonde, kurz geschnittene Haare, dunkelgrüne Jacke.

Der Mann verschwand hinter dem Wagen, und Dengler nahm an, dass er durch die Hecktür ins Innere des Laderaums gestiegen war.

Dengler wartete. Durch die Rückspiegel konnte er das Zielobjekt gut beobachten, ohne selbst aufzufallen. Wenn der Mann auftauchen würde, müsste er sein Gesicht sehen. Dengler war sich nun fast sicher, dass es Florian Singer war. Einen Augenblick überlegte er, auszusteigen und zu dem Mann im Kastenwagen hinüberzugehen.

Warum eigentlich nicht, dachte er.

In diesem Augenblick gab es im Motorraum des Stadtmobils einen dumpfen Schlag, und der Motor ging aus. Dengler fluchte leise und drehte den Zündschlüssel, um den Wagen zu starten. Nichts regte sich. Die Armaturenbeleuchtung war erloschen. Jetzt bemerkte Dengler, dass auch die Scheinwerfer sich nicht mehr einschalten ließen. Er versuchte erneut, den Wagen zu starten. Es war zwecklos.

Im Rückspiegel sah er nun, wie sich der dunkle Kastenwagen wieder in den Verkehr einfädelte.

Dengler fluchte, drehte wieder den Schlüssel im Zündschloss. Nichts.

Das Zielobjekt gliederte sich in die Schlange der talabwärts drängenden Wagen ein, fuhr an ihm vorbei und verschwand im Lichtergemenge des Verkehrs.

Weihnachten 2001: Erlangen, Katharina Petrys Wohnung

Während das ganze Land bis zuletzt gehofft hatte, es würde nicht zum Krieg kommen, konnte Katharina Petry die Eröffnung der Kampfhandlungen kaum abwarten. Wie auf glühenden Kohlen saß sie vor dem Fernseher und betrank sich mit einer Flasche Veuve.

Zuvor war die Ausbildung einer Truppe Artilleristen an der neuen Waffe gut vorangekommen. Was allerdings fehlte, waren brauchbare Daten, um das neue System schnell auf alle denkbaren Gefechtssituationen einzustellen. Der Geschäftsplan sah verschiedene Modelle unterschiedlicher Einsatzmöglichkeiten vor. In der kleinsten Version würde das System den Wasserwerfer ersetzen. Gering dosierte Strahlen von 95 Gigahertz riefen auf der Haut brennende Schmerzen hervor. Gegen eine beliebige Menschenansammlung eingesetzt, würde man diese innerhalb kürzester Zeit auflösen können. Niemand konnte sich diesen Schmerzen entziehen. Probleme bereitete jedoch immer noch die Frage, was geschehen würde, wenn die Strahlen, was unvermeidbar war, auf die Netzhaut der Augen trafen. Die Tierversuche hatten eine beunruhigende Datenlage angehäuft. Unklar war auch, wie die Strahlen auf Embryonen und Kinder wirkten.

Aber bald, so hoffte sie, würde sie über echtes, realitätstaugliches Datenmaterial verfügen. In den größeren Versionen würde die Waffe Milliarden einbringen. Die Strahlen konnten Wände und Materie aller Art durchdringen und dahinter feindliche Soldaten töten, ohne dass diese begriffen, von wo sie angegriffen wurden. Eine neue Generation von Weitsichtgeräten würde Militär, Polizei und Geheimdiensten außerdem erlauben, durch Hauswände hindurchzusehen und beliebige Zielpersonen unbemerkt auszuspähen.

Der Tag heute, an dem die deutsche Spezialtruppe nach Kandahar aufbrach, war für Katharina Petry ein Festtag. Denn sie führten zwei Delta-III-Systeme mit sich, installiert auf je einem Fuchs-Panzerwagen.

Fünfter Bericht: Kanadier

In einem Berggebiet vermuteten die Amerikaner hundert El-Kaida-Kämpfer. Wir sind mit den Hubschraubern rauf. Den zweirotorigen Chinooks. Während wir noch auf unseren Einsatz warten, beobachten wir durch die Feldstecher die Kanadier, die ein nach Süden fahrendes Auto stoppen. Die Kiste, schmutzig und grau, hatte keine *friendly*-Markierung, aber die beiden Männer, die ausstiegen, hatten die Hände erhoben und trugen keine Waffen. Doch die Kanadier erschossen beide mit ihren M16. Ohne zu zögern. Ohne Grund.

Heilige Scheiße, dachte ich, Afghanistan ist wie der Wilde Westen. Und da wurde mir klar, dass ich alles vergessen musste, was mir über diesen Einsatz erzählt worden war. Alles passiert dort ohne Gesetz.

Und wenn du dann nach Deutschland zurückkommst und hier Zeitungen liest oder Fernsehen guckst, dann denkst du, wir wären da unten so eine Art Entwicklungshelfer, die Schulen bauen, den Leuten zeigen, wie man Brunnen bohrt und so ein Quatsch. Die Amerikaner terrorisieren mit Vorsatz die Bevölkerung, und wir helfen ihnen dabei. Dafür werden wir gehasst. Wo wir hinkommen, fliegen Steine auf uns. Und nicht nur Steine. Nicht von den Taliban, von ganz normalen Frauen und Kindern.

Doublette

Über das neue Handy rief Dengler bei der Zentrale des Carsharingunternehmens an und meldete den Ausfall des Wagens. Nur eine halbe Stunde später lud ein Abschleppwagen das Stadtmobil auf. Zuvor hatte der Mechaniker sich ratlos über den Motor gebeugt. Die gesamte Elektrik des Wagens sei ausgefallen, sagte er. So etwas habe er noch nicht erlebt. Aber schließlich sei einmal immer das erste Mal, sagte er kopfschüttelnd und montierte eiserne Abschleppbügel unter dem Wagen.

Zu Fuß ging Dengler ins Bohnenviertel zurück. Er ärgerte sich – über sich selbst, über den defekten Wagen, über das Pech, das ihn bei dieser Operation verfolgte. Die einzige Ausbeute war das Kennzeichen des dunklen Kastenwagens, eine Münchner Nummer, und die undeutlichen Fotos mit der Rückenansicht des Fahrers.

Martin Klein saß im *Basta*, wie fast immer an dem kleinen Tisch am Fenster, und las Zeitung. Dengler winkte ihm kurz zu, ließ den Blick durchs Lokal schweifen, doch Olga war nicht da.

Schlecht gelaunt stieg er die Treppen hinauf in sein Büro. Der Bildschirmschoner seines Rechners verteilte ein flackerndes, milchiges Licht im Raum. Dengler rief das Internet auf, und schon bald hatte er Zugang zu den Fahrzeughalterdaten. Der Kastenwagen war zugelassen auf Hans-Werner Schwerer, wohnhaft in München in der Klarastraße 8. Dengler suchte über Google, was das Netz über diesen Mann zu bieten hatte. Es war nicht besonders viel. Er betrieb in München eine eBay-Agentur. Wer etwas im Internet ver- oder ersteigern wollte, wandte sich an ihn. Er fotografierte die Waren, stellte die Bilder ins Netz, wickelte alles ab, was bei einer solchen Versteigerung zu tun war.

Dengler griff zum Hörer und rief die Agentur an.

»Hier ist die eBay-Agentur Schwerer. Sie rufen außerhalb unserer Geschäftszeiten an. Bitte hinterlassen Sie eine Nachricht nach dem Piepston. In dringenden Fällen erreichen Sie mich unter …«

Es folgte eine Handynummer.

Dengler wählte die Nummer, und kurz darauf meldete sich eine männliche Stimme.

»Schwerer.«

»Hier ist das Stuttgarter Polizeirevier Innenstadt. Sind Sie der Halter des Wagens M-HL 324?«

»Ja, das bin ich. Was ist mit dem Wagen?«

»Wissen Sie, wo sich das Fahrzeug im Augenblick befindet?«

»Aber ja. Es biegt gerade auf den mittleren Ring ein.«

»Wissen Sie das genau?«

»Allerdings. Ich sitze nämlich hinterm Steuer.«

»Dann ist alles gut. Entschuldigen Sie die Störung.«

Dengler legte auf.

Die Doublette. Der alte Terroristen- und Geheimdiensttrick. Aufwendig, aber immer noch wirkungsvoll. Man stahl einen Wagen und gab ihm das Nummernschild eines tatsächlich existierenden gleichen Fahrzeugtyps. Bei einer Polizeikontrolle würde keine Unregelmäßigkeit auffallen.

Er lehnte sich in dem alten Schreibtischstuhl zurück. Was hatte er nun in Erfahrung gebracht? Holzer war in einen gestohlenen Wagen gestiegen. Die Identität des Fahrers hatte er nicht ausfindig machen können. Und vor allem hatte er keine Ahnung, wo dieser sich nun aufhielt.

Das war nicht viel.

Er überspielte die Fotos auf seinen Rechner, vergrößerte das Foto des Fahrers, das er über den Rückspiegel gemacht hatte, als er an der Weinsteige festsaß, und verschickte es per E-Mail an Sarah Singer.

Obwohl es fast Mitternacht war, rief er kurz danach Sarah Singer an. Sie war noch wach.

»Ich habe Ihnen ein Foto geschickt. Es hat keine gute Qualität, aber ich will wissen, ob es Ihr Mann ist.«

Nach fünf Minuten rief sie zurück.

»Zuerst dachte ich, es wäre Florian. Die Art, den Kopf leicht nach links zu halten. Die Statur ... Aber, um ehrlich zu sein, man erkennt doch nicht genug. Vielleicht ist er es, aber ich bin mir nicht sicher.«

Dengler ging in die Küche und nahm eine Flasche Brunello aus dem Regal. Vor dem Bad blieb er einen Augenblick stehen, dann nahm er seine Zahnbürste und steckte sie in die Innentasche seines Jacketts. Kurz danach klopfte er an Olgas Tür. Sie öffnete und freute sich, ihn zu sehen.

Endlich verbesserte sich seine Laune.

Ausgeschaltet

Der rote Opel mit dem Schriftzug *Stadtmobil* mit dem wartenden Fahrer darin war ihm bereits auf dem Parkplatz am Fernsehturm aufgefallen. Der Typ, der Sarah besuchte, hatte auch so ein Stadtmobilauto benutzt. Vielleicht war es der gleiche Kerl.

Nachdem Florian Singer sämtliche Daten der Operation Mannheim auf die externe Festplatte überspielt und sie Holzer überreicht hatte, fuhren sie zurück zum Fernsehturm. Singer registrierte, dass der rote Wagen noch immer an der gleichen Stelle stand. Und noch immer saß der Fahrer hinter dem Steuer.

Als er sah, dass der Opel losfuhr und ihm folgte, wurde er ruhig.

Eiskalt.

Diese Situation kannte er.

Gefechtssituation.

Auf der Fahrt hinunter in die Stadt beobachtete er den Wagen im Rückspiegel. Den Fahrer konnte er nicht erkennen. Er musste ihn abhängen, und unterhalb der Haltestelle Bopser hatte er endlich die Gelegenheit dazu. Er entdeckte eine freie Parkbucht und fuhr hinein. Seinem Verfolger blieb nichts anderes übrig, als an ihm vorbei weiter talabwärts zu fahren.

Doch nach fünfzig Metern gab es eine zweite Parkmöglichkeit, und Florian Singer sah, dass der rote Wagen sie nutzte.

Er stieg aus und achtete dabei darauf, dass sein Verfolger sein Gesicht nicht im Rückspiegel identifizieren konnte. Dann öffnete er die Heckklappe und kletterte in den Laderaum. Es dauerte einige Minuten, bis er die Aggregate hochgefahren hatte.

Action Jackson.

Er nahm die Kühlerhaube des Stadtmobils ins Visier. Feuerte eine niederdosierte Ladung. Sah auf dem Bildschirm des Laptops, wie das Vibrieren des Motorblocks abrupt stoppte. Treffer.

Um von seinem Verfolger nicht gesehen zu werden, stieg er durch die Beifahrertür wieder vorne ein. Startete, fädelte sich in den Verkehr ein und fuhr an seinem stillgelegten Verfolger vorbei.

Reisepass

Am nächsten Morgen verließ Georg Dengler kurz nach neun Uhr das Haus. Gegenüber war nun ein kleines Café, eine Art Chocolaterie, eröffnet worden: *Bitter & Sweet*. Die Ausstattung des Cafés erinnerte ihn an einen Film mit Juliette Binoche und Johnny Depp, der in Frankreich in einer Chocolaterie spielte. Olga schwärmte für Johnny Depp, nahm Dengler sogar mit in »Fluch der Karibik«, wo er sich herzlich langweilte.

Er nahm sich vor, demnächst das neue Café zu besuchen. Heute aber hatte er es eilig. Hinter der Leonhardskirche überquerte er die Straße beim *Jazzclub Bix*. Auf der anderen Seite der Hauptstätterstraße waren es nur noch wenige Schritte zum Bürgerzentrum Süd. Über eine Treppe mit braunem Belag erreichte er das Meldeamt.

Es dauerte eine Weile, bis er sich zurechtfand. Dann begriff er die Prozedur. Er musste eine Nummer aus einem kleinen orangefarbenen Kasten ziehen. Kurz danach wurde diese Nummer auf einem Display aufgerufen, und er betrat das Großraumbüro.

»Wir verlängern die alten Reisepässe nicht mehr. Wir stellen nur noch neue Dokumente aus«, erklärte ihm eine blonde Angestellte.

»Sie brauchen dazu ein Passbild mit biometrischen Angaben«, sagte sie.

Eine Stunde später lieferte er das gewünschte Bild bei der Blonden ab. Mit einem kleinen Apparat nahm sie ihm die Fingerabdrücke ab.

Dengler hatte Verdächtigen schon oft Fingerabdrücke abgenommen. Jetzt kam er sich selbst vor wie ein Verdächtiger.

Als er das Bürgerzentrum wieder verließ, hielt er die Bestätigung für einen neuen Reisepass in der Hand. Der neue

Pass würde anders aussehen als sein bisheriger, war mit einem Chip versehen, der nun seine biometrischen Angaben gespeichert hatte. Fertig sei der neue Pass, so hatte die Bearbeiterin ihm zu seiner großen Enttäuschung mitgeteilt, allerdings erst in einigen Wochen, das Amt würde Dengler benachrichtigen, wenn es so weit wäre. Aber dann konnte er endlich mit Olga in Urlaub fahren, sogar nach Chicago fliegen. Diese Vorstellung hob seine Stimmung wieder.

Als er vor dem *Basta* ankam, sah er Jakob in dem Lokal sitzen. Er winkte ihm durch die Scheibe zu, betrat die Bar und setzte sich zu seinem Sohn an den Tisch.

Zwei Schulstunden seien ausgefallen, sagte Jakob. Er habe etwas Zeit. Dengler freute sich, ihn zu sehen. Er erzählte seinem Sohn, dass er vorhabe, für zwei oder drei Wochen mit Olga zu verreisen. Eben habe er deshalb einen neuen Reisepass beantragt.

»Einen neuen Reisepass?«, fragte Jakob und hob skeptisch die Augenbrauen. »Einen mit RFID?«

Dengler sah seinen Sohn verständnislos an.

»Einen mit RFID«, wiederholte Jakob. »Das heißt: *Radio Frequency Identification*. Ein elektronischer Chip.«

»Ja, mit einem Chip mit meinen biometrischen Angaben und meinen Fingerabdrücken darauf.«

Der kahlköpfige Kellner brachte Dengler einen doppelten Espresso und stellte einen kleinen Becher warmer Milch daneben. Dengler dankte ihm mit einem Kopfnicken.

»Schade, dass du den neuen Pass noch nicht hast.«

»Warum?«

»Ich will dir was zeigen.« Jakob nahm seine Schultasche, suchte darin.

»Ich habe den Pass von Olga hier in der Tasche. Sie hat ihn mir gestern gegeben, weil er ganz neu ist und sie mir zeigen wollte, wie er aussieht. Und weil sie will, dass ich ...«

Jetzt hatte Jakob das dunkelrote Dokument in der Hand und blickte sich um.

»Haben Sie eine Mikrowelle hier?«, fragte er den Kellner.

Der Kellner drehte sich um und deutete mit dem Kopf auf ein Mikrowellengerät, das neben dem Eingang zum Speiseraum stand.

»Klasse«, sagte Jakob.

Und dann, an Dengler gewandt: »Hier, schau dir den Pass von Olga an.«

Jakob öffnete das Dokument und hielt es Dengler hin.

»Diesen Chip hier kann man mit einem Scanner lesen, ohne dass du das merkst«, sagte Jakob. »Damit kann man feststellen, wo du wann gewesen bist. Man kann feststellen, mit wem du unterwegs warst. Man kann automatisch soziale Netzwerke erfassen. Man kann …«

»Wenn diese Personen, die du triffst, auch einen solchen neuen Reisepass mit sich führen?«

»Richtig. In ein paar Jahren werden wir alle solche Pässe haben. Und warum ist der Chip da drin?«, fragte Jakob im Tonfall des Sprechers der »Sendung mit der Maus«.

»Nun, das ist einfach. Dieser Pass ist fälschungssicher. Damit wird ausgeschlossen, dass andere ihn stehlen, manipulieren und dann irgendwelche Verbrechen begehen können.«

»Wie viele Verbrechen wurden denn mit gefälschten Reisepässen begangen?«

Dengler lachte: »Keine Ahnung. Ich denke, eine ganze Menge.«

»Falsch. Kein einziges. Es gab eine Anfrage zu diesem Thema im Bundestag. Der Regierung war kein Verbrechen bekannt, das ohne gefälschten Reisepass nicht hätte begangen werden können. Es wurden insgesamt nur sechs Fälschungen nachgewiesen.«

Dengler fixierte seinen Sohn durch zusammengekniffene Lider: »Woher weißt du das alles? Von deiner Mutter?«

Für einen Augenblick dachte er an Hildegards wechselnden Übereifer für Flamenco, Tango, Feminismus und die Grünen. Ob so etwas vererbbar ist?

»Ich beschäftige mich eben damit. Schließlich bin ich bald erwachsen und muss mich in eurer Welt zurechtfinden.«

»Du beschäftigst dich mit Reisepässen?«

»Ich beschäftige mich mit Überwachungsmethoden. Und der Chip im Reisepass ist eine davon.«

Nur gut, dass Sohnemann keine Ahnung hat, welche Überwachungsmethoden sein Vater anwendet, dachte Georg.

»Der Reisepass ist übrigens auch dann gültig, wenn der Chip defekt ist.« Jakob nahm Olgas Pass und ging damit an die Bar. Er öffnete die Tür der Mikrowelle und legte ihn hinein.

»He, bist du verrückt geworden? Was hast du vor?«

Dengler war aufgesprungen und rannte zu seinem Sohn an die Theke.

Jakob schloss die Klappe wieder.

»Es reicht völlig, wenn man das Gerät nur ganz kurz einschaltet«, sagte er.

Er drehte den Schalter auf »An« und sofort wieder auf »Aus«. Dann klappte er die Türe auf und nahm den Ausweis wieder heraus.

»Auftrag ausgeführt: ein gültiger Reisepass, aber ohne Chip«, sagt er. »Jedenfalls ohne funktionierenden Chip.«

Dengler war wütend.

»Weißt du überhaupt, was so ein Ding kostet?«, fauchte er seinen Sohn an.

»Das weiß ich sogar exakt: neunundsechzig Euro. Die wahren Kosten liegen jedoch viel höher. Wahrscheinlich bei dreihundert Euro. Die Differenz bezahlt der Steuerzahler. Also du und irgendwann auch ich.«

Er reichte seinem Vater den Pass. Dengler wendete ihn hin und her. Es war keine Veränderung festzustellen.

»Mach dir keine Sorgen«, sagte sein Sohn. »Er ist gültig. Nur der Chip ist hin. Niemand kann nun heimlich Olgas Daten einlesen.«

Und angesichts Denglers Gesichtsausdruck fügte er leiser hinzu: »Ist doch gut, oder?«

Der wimpernverhangene Blick und der Tonfall seiner Stimme verrieten Dengler, dass sein Sohn sich seiner Sache nicht mehr ganz sicher war. Er tat ihm leid, aber Denglers Wut war noch nicht verraucht.

»Du kannst doch nicht einfach hingehen und … Olgas Pass ist jetzt … Gut, ja, aber … Himmel, es wird schon gute Gründe geben, warum die Regierung diese Chips da einbaut.«

Noch während er den Satz aussprach, bekam Georg Zweifel. Wenn jemand die Datensammelwut der Behörden kannte, dann er. Er wusste, wie begeistert das BKA Daten speicherte und alle möglichen Datenbanken anlegte. Und dieses neue System – diese Möglichkeit, soziale Netzwerke zu erfassen – würde für die Polizeiarbeit einen Quantensprung bedeuten.

»Klar gibt es Gründe«, sagte Jakob leise. »Ganz tolle Gründe. Du weißt doch, welcher Innenminister diese neuen Pässe eingeführt hat?«

Natürlich wusste Dengler das. Während einer Kommandierung zur Sicherungsgruppe hatte er den Mann sogar einige Male bewacht. Abend für Abend hatten sie ihn in Berlin in die *Paris Bar* chauffiert, wo er bis spät in die Nacht echsengleich und allein vor einem Bierglas saß. Jeder Kollege hatte versucht, sich vor diesem Job zu drücken.

»Und weißt du auch«, fuhr Jakob fort, »dass dieser Minister jetzt bei zwei Firmen dick im Aufsichtsrat sitzt, die diese Pässe beziehungsweise die Geräte dafür herstellen? Und in eine dieser Firmen hat er sich sogar eingekauft.«

Dengler fühlte sich seinem Sohn unterlegen. »Wir leben hier nicht in einer Bananenrepublik«, hörte er sich unwirsch sagen, aber es klang nicht überzeugend. Er hatte keine Lust auf eine weitere Diskussion. Jakob war einfach zu weit gegangen. Wütend steckte er Olgas Pass ein und stampfte hinauf in sein Büro.

Doch schon auf der Treppe fing er an zu grübeln. Als er oben die Tür aufschloss, war er längst nicht mehr wütend auf Jakob.

Was hatte der Junge da gesagt? *Es reicht völlig, wenn man das Gerät nur ganz kurz einschaltet*, hatte Jakob gesagt.

Dengler blieb stehen. Zog die Tür wieder zu. Lief wieder hinunter in die Bar. Jakob saß blass auf seinem Stuhl. Der kahlköpfige Kellner stand an der Espressomaschine und schäumte Milch auf für einen neu erschienenen Gast.

»Ich muss noch einmal an diese Maschine«, sagte Dengler und deutete auf die Mikrowelle.

Der Kellner nickte und servierte den Kaffee.

Dengler öffnete die Klappe der Mikrowelle und legte das neue Handy hinein.

Jakob starrte ihn an, der kahlköpfige Kellner starrte ihn an und der neue Gast an der Theke auch.

Dengler schloss die Klappe der Mikrowelle.

Es war plötzlich vollkommen still im *Basta*.

Dengler schaltete die Mikrowelle ein und sofort wieder aus. Dann öffnete er die Tür und nahm das Telefon wieder heraus. Er versuchte das Handy zu aktivieren.

Das Gerät rührte sich nicht.

»So funktioniert das also«, sagte er.

»Ja, aber das habe ich dir doch gesagt«, sage Jakob leise. »Deshalb brauchst du doch dein Handy nicht zu schrotten. Das ist jetzt ein für alle Mal hin.«

»Dein Handy. Gib mir dein Handy«, sagte er zu seinem Sohn, ohne den Blick von seinem zerstörten Handy zu wenden, nur die geöffnete Hand ihm hinhaltend.

Misstrauisch legte Jakob ein älteres Funktelefon auf den Tisch.

»Aber das kommt jetzt nicht in die Mikrowelle!«

Dengler wechselte den Chip aus. Aber es änderte sich nichts. Auch in Jakobs Telefon blieb er ohne Funktion.

Der Junge sammelte seine Sachen ein, stand auf und schlenderte betont langsam zur Tür.

»Ich muss in die Schule zurück«, sagte er.

Er sah Dengler mit unsicherem Blick an.

»Bist du mir noch böse?«

Dengler hob den Kopf und schaute Jakob an. »Was? Böse? Weshalb?«

»Wegen Olgas Pass ...«

»Nein, nein – das war großartig. Ganz großartig. Vielen Dank!«

Jetzt begriff Jakob gar nichts mehr. Kopfschüttelnd öffnete er die Tür des *Basta*. Der kahlköpfige Kellner klopfte ihm aufmunternd auf die Schulter.

***

Dengler hastete hinauf in sein Büro.

Eilig griff er den Telefonhörer und wählte die Nummer von Hauptkommissar Weber. Er wurde dreimal verbunden, dann hatte er ihn in der Leitung.

»Sie bearbeiten immer noch den Fall mit den beiden Brandleichen?«

»Ja. Und leider wissen wir immer noch nicht viel mehr.«

»Haben Sie schon einmal an Strahlen gedacht?«

Pause.

»Mikrowellen – zum Beispiel.«

Pause.

Dann sagte Weber: »Dengler, sind Sie jetzt auch unter die Irren geraten? Heute Morgen war eine ganze Gruppe dieser Sorte hier auf dem Präsidium, die mir alle weismachen wollten, dass die Männer von den Strahlen der Stuttgarter Handy-Sendemasten umgebracht wurden. Gestern lauerte mir eine alte Frau auf, die mir etwas über die Aura ihrer Nachbarin erzählte, mit der sie Menschen töten würde. Ich bekam E-Mails ...«

»Was ist mit den Funktelefonen der Toten? Wenn es Strahlen waren, sind die Chips und die Elektronik zerstört. Äußerlich wird man ihnen wahrscheinlich aber nichts ansehen. Prüfen ...«

Weber fiel ihm ins Wort.

»Herr Dengler, nichts für ungut, aber ich hab genug von diesem Irrsinn«, sagte er gereizt. »Was glauben Sie eigentlich, was bei uns los ist? Wir haben immer noch keine Spur, und jetzt fangen Sie auch noch an, mir was von Strahlen …«

»Prüfen Sie die Handys«, sagte Dengler und legte auf.

Und war mächtig stolz auf Jakob.

Sechster Bericht: Enttäuschung

Eines unserer Ziele war: Haus für Haus zu durchsuchen. Wir durchsuchten Haus für Haus, um die Taliban zurückzudrängen. Jedes Haus ist zu durchsuchen, hieß der Befehl. Wenn wir früh anfingen, räumten wir das erste Haus morgens um fünf. Stell dir vor, du fährst in einen Ort, kletterst aus dem Fahrzeug, stellst dich in einer Reihe auf, und dann geht's los. Es kommt darauf an, schnell in ein Haus zu kommen. Ist abgeschlossen, wird die Tür eingetreten. Hilft das nicht, wird sie gesprengt. Wir wecken sie auf. Sie erschrecken sich zu Tode, die Kinder schreien, die Frauen verfluchen uns. Manche sind passiv, manche böse. Es ist wie ein Überfall. Wir treiben sie alle in einen Raum. Zwei oder drei von uns bleiben bei ihnen mit der entsicherten Waffe im Anschlag. Dann wird das Haus auseinandergenommen und nach irgendetwas gesucht. Nach was, wissen wir auch nicht.

Nachts hörten wir mit den Durchsuchungen auf. Oder wir warfen eine Familie aus dem Haus und schickten sie ins Nachbarhaus. Und wir schliefen dann in dem Haus bis zum nächsten Morgen. Das haben wir oft gemacht. Wir ließen dann zwei oder drei Dollar liegen, räumten unseren Müll weg, weil wir ja die öffentliche Meinung für uns gewinnen sollten, und verschwanden.

Ich hatte mir von diesem Einsatz einen Karrieresprung erhofft. Eine neue Waffe! Und ich im Erprobungsteam. Aber nach ein paar Wochen war mir klar, dass die Amerikaner nicht mal im Traum dran dachten, das neue Gerät einzusetzen. Und tatsächlich: Die beiden Füchse, in denen die Waffen installiert waren, standen in unserem Lager auf dem Flugplatz von Kandahar, und den verließen sie nicht ein einziges Mal. Die Plane entfernte ich nur, um die Geräte zu reinigen oder zu warten.

Ich machte Meldung bei dem Kontingentführer, aber der war meistens hackezu. Ich weiß nicht, ob der die Meldung weitergeleitet hat oder nicht. Dann meldete ich das Ganze der Firma, die das System entwickelt hat. Und plötzlich geschah etwas: Wir wurden mit zu Kampfeinsätzen genommen. Aber immer nur als Fußvolk. Nur als ... Was dann kam, war schrecklich.

Studium der Bankauszüge

Am nächsten Tag saß Dengler schon früh an seinem Schreibtisch. Er studierte die Ordner mit den Bankauszügen. Zunächst prüfte Dengler die Vollständigkeit der Belege. Singer war ein ordentlicher Mensch. Alle Kontoauszüge der letzten fünf Jahre waren vollständig. Kein einziger fehlte. Für jedes Jahr hatte er einen Ordner angelegt. Die Einnahmen waren immer gleich: Sold und Auslandszulage. Dreimal waren Reisekosten für einen Seminarbesuch von der Münchner MensSys AG GBDS überwiesen worden. Auch die Ausgaben waren übersichtlich: die für Miet- und Haushaltskosten. Da waren Abbuchungen der Kfz-Versicherung, Lebensversicherung und private Ausgaben: ein Wintermantel, hin und wieder ein Restaurantbesuch, ein neuer Computer – nichts Ungewöhnliches. Dazu Barabbuchungen in üblicher Höhe.

Die MensSys AG kannte er. Ein großer internationaler Elektronikkonzern. Er notierte sich GBDS. Vermutlich stand GB für Geschäftsbereich. Was DS hieß, wollte er nachfragen.

An dem Tag, als Singer aus dem Hamburger Krankenhaus geflohen war, hatte er mit der Kreditkarte eine kleine Rechnung in der Kantine bezahlt: 8,45 Euro. Nicht gerade ein Indiz für eine geplante Fluchtvorbereitung.

War Singers Leben immer schon so aufgeräumt gewesen? Er versuchte sich zu erinnern. Wie sah sein Zimmer aus, als er damals auf dem Dengler-Hof gewohnt hatte? Er wusste es nicht mehr.

Das Telefon riss ihn aus seinen Überlegungen.

»Volltreffer, Dengler. Beide Handys wurden durch elektronische Einwirkung zerstört.«

Es dauerte zwei Sekunden, bis er Hauptkommissar Webers Stimme erkannte.

»Nicht ein einziges der drei Handys wies Anzeichen von

Feuer- oder sonstigen externen Hitzeeinwirkungen auf. Die beiden Stuttgarter Toten hatten die Geräte noch in den Hosentaschen, der Mannheimer Tote wollte wohl noch seine Frau anrufen. Das war allerdings sinnlos, so tief unter der Erde.«

»Haben Sie mal über meine Strahlentheorie nachgedacht?«

»Dengler, die Leichen wurden geschmort. Alle Obduktionsberichte sind eindeutig. Hitze. Aber wir wissen weder wie noch wo. Das mit den Handys ist interessant, vielleicht bringt uns das weiter. Im Augenblick macht es die beiden Fälle jedoch eher unklar. Trotzdem vielen Dank für den Tipp.«

Er legte auf.

Dengler rief bei der Zentrale von Stadtmobil an. Dort war man immer noch ratlos. Die Elektronik sei komplett ausgefallen, und zwar alle elektronischen Bauteile. Alle Sicherungen seien gleichzeitig durchgebrannt. Der Wagen sei in Reparatur.

Dengler lehnte sich in seinem Stuhl zurück und dachte nach.

Es gab vier Vorfälle, bei denen elektronische Geräte auf geheimnisvolle Art und Weise zerstört worden waren. Die Handys der Opfer bei den beiden Bunkermorden, sein eigenes Handy und das Stadtmobil. Er selbst wurde nachts angegriffen und anschließend bedroht.

Dengler hörte sich die Stimme auf dem Mitschnitt noch einmal an.

»Sonst geht es dir wieder so.«

Zwischen den Bunkermorden und dem Angriff auf ihn konnte ein Zusammenhang bestehen – aber zwingend war das nicht. Was sprach dafür, dass Florian Singer hinter alldem steckte? Was hatte der Anrufer von ihm verlangt? Er versuchte sich genau an die Wortwahl des Anrufers zu erinnern.

Lass die Finger von Singer, hatte der Anrufer verlangt. Dengler drückte erneut auf die Wiederholtaste der Telefonsoftware.

»Sonst geht es dir wieder so«, sagte die metallene Stimme.

Er hatte sich an die Forderung des Anrufers nicht gehalten. Er hatte weiter nach Singer gesucht und ihn möglicherweise auf der Fahrt in die Stadt verfolgt. Aber trotzdem hatte der Unbekannte seine Drohung nicht wahr gemacht.

»Sonst geht es dir wieder so.«

Er war nicht wieder angegriffen worden.

Etwas stimmte nicht.

Dengler konzentrierte sich. Was hatte der Mann am Telefon genau gesagt? Lass die Finger von Singer – das hatte er gesagt. Aber war das die exakte Wortwahl? Wahrscheinlich, aber plötzlich war er sich nicht mehr sicher.

Die beiden anderen Fragen waren: Warum suchte die Bundeswehr nicht ihren entlaufenen Feldwebel? Und warum hatte das BKA eine Aufenthaltsermittlung angeordnet? Und keine Fahndung? Nur eine Aufenthaltsermittlung? Bei einer Fahndung wäre Singer bei jedem Kontakt mit der Polizei verhaftet worden, bei der Aufenthaltsermittlung meldete jede Behörde, die in Kontakt mit ihm kam, dies ans BKA.

Zumindest die zweite Frage konnte er klären.

Dengler griff zum Hörer und rief Hauptkommissar Jürgen Engel beim Bundeskriminalamt an. Er kannte Engel von ihrer gemeinsamen Arbeit beim Bundeskriminalamt. Zusammen hatten sie an den Ermittlungen eines terroristischen Anschlags in Kaiserslautern gearbeitet. Sie schätzten sich, waren aber nie Freunde geworden. Insgeheim bedauerten sie dies. Damals waren beide Außenseiter im Amt gewesen, begabte und erfolgreiche Außenseiter zwar, aber von der Amtsleitung nicht geschätzt, weil sie zu eigenwillig waren. Engel bewunderte Dengler, weil er es geschafft hatte, das BKA zu verlassen. Er hätte diesen Schritt auch gern getan, aber das nicht abbezahlte Eigenheim und zwei schulpflichtige Kinder hinderten ihn am »Schritt in die Freiheit«, wie er Denglers Kündigung genannt hatte. Nun versorgte Engel Dengler hin und wieder mit Informationen, und Dengler war klug genug, diese Quelle nicht überzustrapazieren.

»Jürgen, das BKA hat eine Aufenthaltsermittlung gegen einen gewissen Florian Singer laufen. Wer interessiert sich bei euch für diese Person?«, fragte er ihn, nachdem sie ein paar Begrüßungsfloskeln ausgetauscht hatten und Engel ihm den neuesten Amtsklatsch erzählt hatte.

Dengler hörte, wie Engel auf die Tasten seines Computers einhackte.

»Na, da hast du ja mal wieder einen großen Fisch an der Angel«, sagte er nach einer Weile. »Dein ehemaliger Chef ist hinter dem Singer her.«

»Scheuerle?«

»Genau. Der Leiter der Abteilung TE persönlich.«

Dengler überlegte. Wenn Scheuerle persönlich hinter Singer her war, dann ging es um keine Bagatellen.

»Kannst du feststellen, warum Scheuerle den Mann sucht?«

Wieder hörte er das klackende Geräusch der Tastatur.

»Sorry«, sagte Engel. »Das steht nicht drin. Nur, dass es oberste Priorität hat.«

»Noch eine Bitte, Jürgen. Auf wen ist der folgende Pkw, ein weißer VW Golf GTI, zugelassen? Ich brauche die Anschrift des Halters.«

Er gab Engel das Kfz-Kennzeichen durch. Wieder hörte Dengler durchs Telefon das typische klackende Geräusch von Engels Computertastatur.

»Du weißt ja, dass ich dir das eigentlich nicht sagen dürfte …«

»Das weiß ich.«

»Zugelassen auf einen Klaus Holzer. Wohnhaft in Calw in der Hermann-Hesse-Straße 56.«

In der Höhle

Dass er hier in der Höhle saß! Florian Singer hatte schon lange nicht mehr über sein Leben nachgedacht. Wie würde es weitergehen? Er wusste es nicht. Er hatte Grenzen überschritten, die kein Mensch überschreiten sollte. Das wusste er. Manchmal. Aber etwas saß in ihm, das ihn zwang, das alles zu wiederholen. Immer wieder eine solche Situation herzustellen, die er damals in den afghanischen Bergen nicht ausgehalten hatte. Damit verbunden war der Geruch nach verbranntem Fleisch, der ihm unerträglich war und ohne den er nicht mehr leben konnte. Seine Frau und seine beiden Kinder hatte er verlassen, aber gleichzeitig quälte ihn eine irre Eifersucht. Abend für Abend, Nacht für Nacht stand sein dunkler Kastenwagen in der Nähe ihres Hauses, und er überwachte sie, sah ihr zu, bei allem, was sie tat, mit den technischen Möglichkeiten, die diese Waffe ihm bot.

Ob er jemals wieder ein normales Leben führen könnte, wusste er nicht. Aber die einzige Chance, aus alldem wieder herauszukommen, lag darin, genau das zu tun, was die Leute von ihm verlangten. Die Leute, die ihm diese Waffe gegeben hatten.

Die falsche Fährte

Dengler schob die Unterlagen auf seinem Tisch hin und her. Er wusste nicht weiter. Er fahndete nach einem fahnenflüchtigen Soldaten, den die Feldjäger jedoch nicht suchten, hinter dem aber das BKA her war.

Warum?

Er hatte nur eine einzige Spur. Er musste Klaus Holzer rund um die Uhr überwachen. Aber wenn es Florian Singer gewesen war, der ihn abgeschüttelt hatte, indem er die Elektronik des Stadtmobils zerstörte, dann hatte er auch Klaus Holzer gewarnt. Die beiden würden sich nicht mehr treffen. Diese Spur war tot.

Er könnte dem BKA eine falsche Spur legen. Aber ob ihm das helfen würde? Er wusste es nicht.

Wenn Scheuerle Singer suchte, würde er Sarah Singers Telefon überwachen.

Dengler griff zum Hörer und wählte ihre Nummer. Es meldete sich der Anrufbeantworter.

»Hallo, Frau Singer«, sagte Dengler, »ich habe Ihren Mann gefunden.«

Fassungslos

In den ersten Kriegswochen war Katharina Petry in bester Laune. Die beiden Systeme waren wohlbehalten und funktionstüchtig in Kandahar angekommen und warteten auf ihren Einsatz. Am liebsten hätte sie ein eigenes Team hingeschickt. Oder wäre selbst hingeflogen. Aber das war unmöglich, und sie wusste das. Der erste Echtzeiteinsatz! Die Systeme würden alle Daten auf externe Festplatten schreiben, und die Erlanger Entwicklungsingenieure warteten dringend auf diese Daten.

Wenn alles lief, würde sie keine Hemmungen haben, den Vorstandsposten einzufordern. Sie würden ihn ihr nicht mehr verweigern können. Denn mit dieser erfolgreichen Systementwicklung stünden ihr die Türen in jedem Rüstungskonzern der Welt offen.

Als sie nach sechs Wochen noch keine Nachrichten aus Afghanistan erhielt, wurde sie unruhig. Vom Leitzentrum der Bundeswehr in Potsdam erhielt sie die Auskunft, dass die Systeme noch nicht im Einsatz seien.

Warum nicht?

Dann meldete sich Florian Singer per E-Mail. Er berichtete, dass die Amerikaner gar nicht daran dächten, die Deutschen zu ernsthaften Einsätzen einzuteilen. Eine Änderung dieser Situation sei nicht in Sicht.

Die Lobby-Maschine der MensSys AG lief auf Hochtouren. Briefe, Memos, Gespräche, Konferenzen, Drohungen, Versprechungen, Zahlungen und Zahlungsversprechen. Dann endlich die Nachricht: Das Kanzleramt habe erreicht, dass die deutschen Truppen in Kandahar besser in die amerikanischen Operationen eingebunden würden.

Doch die Nachrichten von Singer waren niederschmetternd. Die Systeme hatten noch nicht ein einziges Mal ihre Parkpositionen verlassen, und es sah nicht so aus, als würde sich das ändern. Die deutsche Spezialtruppe würde nun zwar als Infanterie eingesetzt, aber mehr sei nicht zu erwarten.

Erneut kurbelte Katharina Petry die Lobby-Maschine an. Doch nach einigen Wochen kam die Auskunft direkt aus dem Kanzleramt: Man habe leider keinen Einfluss auf die operativen Entscheidungen des amerikanischen Generalstabs. Weitere Interventionen von deutscher Seite seien daher nicht *zielführend*.

Katharina Petry tobte. Sie war so weit gekommen! Und nun? Ihre Ingenieure sagten, sie brauchten die Daten, sonst würden sie nicht einmal die Version von Delta III marktreif entwickeln können, die den Wasserwerfer ablösen sollte.

Sieht so das Scheitern aus?

Niemals würde sie sich mit einer Niederlage abfinden.

Niemals.

Trauma

»Bitte nehmen Sie doch Platz«, sagte Professor Bartsch.

Dengler setzte sich hinter einen ausladenden Schreibtisch aus dunkelbraunem Holz. Die Schreibtischplatte war poliert, glänzte und war leer bis auf das Blatt Papier, das vor dem Professor lag und das er nun mit beiden Händen im rechten Winkel zu den beiden Schreibtischkanten schob.

Offensichtlich ein Ordnungsfanatiker.

Dengler hatte sich kurzfristig entschieden, nach Hamburg zu fliegen. Er musste mehr über Singers Krankheit und über seinen psychischen Zustand erfahren. Es war nicht leicht gewesen, so schnell einen Termin beim Chef persönlich zu bekommen. Aber Denglers Hartnäckigkeit hatte sich gelohnt.

Der Professor trug ein blaues Uniformhemd. Drei silberne Sterne mit Eichenlaub zierten seine Schulterklappen.

»Herr Oberst …« Dengler fühlte sich unsicher. Er wusste nicht recht, wie er das Gespräch beginnen sollte.

Bartsch hob die Hände.

»Lassen Sie den Dienstgrad weg«, sagte er und lehnte sich in seinem Stuhl zurück.

»Ich bin privater Ermittler«, begann Dengler. »Wie ich Ihnen bereits am Telefon sagte, ist Frau Sarah Singer meine Klientin. Sie hat mich beauftragt ihren Mann zu suchen. Er war als Patient in Ihrer Klinik …«

»Ja, und ist uns hier entwischt.«

Der Oberst hatte eine tiefe Stimme. Und eine laute.

»Ich möchte etwas über seine Krankheit erfahren. Warum war er hier?«

Der Oberst überlegte kurz.

»Wir helfen Ihnen gerne, den Soldaten zu finden. Er ist krank und muss in Behandlung. Dringend.«

»Welche Krankheit?«

»Es handelt sich um ein Posttraumatisches Belastungssyndrom, und weil heutzutage alles eine Abkürzung hat, kann man auch PTBS dazu sagen. Haben Sie schon eine Spur?«

»Ich versuche noch, mir ein Bild zu machen. Was also ist PTBS?«

»Wir gehen von Veränderungen in der Funktion bestimmter Hirnstrukturen aus. Neuroendokrinologische Veränderungen werden für das Auftreten der typischen Symptome verantwortlich gemacht, als da wären ...«

»Herr Doktor ...«

»Professor.«

»Bitte?«

»Ich bin Professor.«

»Ach so. Entschuldigen Sie. Ich nicht.«

»Bitte?«

»Ich bin kein Professor – sondern Laie. Können Sie es mir so erklären, dass mein laienhafter Verstand es versteht?«

»Ach ja, zu kompliziert? Na gut.« Er richtete erneut das Blatt Papier an den Schreibtischkanten aus.

»Sehen Sie! Unser Mann war Soldat. Er war wohl auch involviert in unkontrollierbare Situationen. Kampfhandlungen. Situationen, in denen er Todesangst hatte. In solchen gefährlichen Situationen gibt das Gehirn dem Körper zwei Befehle: Angriff oder Flucht. Das macht das Hirn, indem es den Körper mit entsprechenden Hormonen flutet: ACTH, Adrenalin, Noradrenalin sowie Vasopressin. Dies wiederum führt zu einer veränderten Wahrnehmung bei den Betroffenen. Sie sehen schärfer und farbintensiver, sie hören besser, sie sind wacher. Wir nennen das eine peritraumatische Dissoziation. Die Betroffenen erzählen uns oft, sie hätten solch eine lebensgefährliche Situation wie in einem Film gesehen oder alles wie in Zeitlupe erlebt.«

Dengler zog sein schwarzes Notizbuch aus der Innentasche seines Jacketts.

»Ich war viele Jahre Polizist«, sagte er, »ich kenne solche Situationen.«

»Aber mit einem wesentlichen Unterschied. Als Polizist kommen Sie hin und wieder in eine solche Lage. Soldaten in schwierigen Auslandseinsätzen sind oft wochen- oder monatelang in gefährlichen Situationen. Selbst wenn sie sich in einer ungefährlichen Situation befinden, aber alles um sie herum ist fremd, wird dies als gefährlich empfunden, und die Hormone arbeiten. Farben, Gerüche, Geräusche, Stimmungen – alles wird übergenau wahrgenommen und in Verbindung mit einer lebensgefährlichen Situation abgespeichert. Das Drama beginnt, wenn das Gehirn dann nicht mehr zurückschalten kann. Der Soldat fliegt nach Hause. Aber er ist immer noch jederzeit hellwach – und kampfbereit. Ständig fürchtet er die Bedrohung. Und wenn er dann ein Geräusch wahrnimmt oder ein Bild oder einen Geruch oder eine Farbe, irgendeinen sinnlichen Eindruck, der auch nur entfernt mit einem abgespeicherten übereinstimmt, gibt es den berühmten *backflash*. Singer, zum Beispiel, zerlegte einen Supermarkt, weil die Polierscheiben eines Reinigungsgeräts ihn an die Rotoren von Hubschraubern erinnerten. Er dachte, er wäre wieder im Krieg. Das Gehirn reagiert beim Trauma immer noch so, als sei die Gefahr noch nicht vorbei. Unser Soldat befindet sich zurückversetzt in der Situation, die ihn traumatisierte. Für ihn scheint sie dann absolut real. Wie damals. Und dann gute Nacht.«

»Gute Nacht?«

»Er reagiert mit Angriff oder Flucht.«

»Und als guter Soldat wohl eher mit Angriff.«

Der Professor schob erneut das Blatt auf seinem Schreibtisch hin und her.

»Wir sollten Singer wirklich bald finden«, sagte er.

»Ist er gefährlich?«

»Alles ist möglich. Er hat sich abgesetzt, bevor die eigentliche Therapie begann. Wir wissen leider nichts Genaues darüber, was Singer in Afghanistan gemacht hat und was ihn so traumatisiert hat.«

»Kann es sein, dass er plötzlich Amok läuft oder so etwas?«
Professor Bartsch hob die Hände und ließ sie wieder fallen.
»Ich weiß es nicht. Wir wissen von Amokläufen amerikanischer GIs mit Posttraumatischen Belastungssyndromen, die in Vietnam, im Golfkrieg oder im Irak waren. Glauben Sie, dass deutsche Soldaten mit den gleichen Erfahrungen davor gefeit sind? Vielleicht ist es nur ein Wunder, dass bisher nichts passiert ist.«

»Sie meinen: Die Soldaten, die aus Afghanistan zurückkommen, sind tickende Zeitbomben?«
Bartsch schwieg.

»Viele, die in Behandlung sollten, kommen nicht zu uns, weil sie glauben, Kameraden und Vorgesetzte hielten sie für Weicheier. Sie fürchten sich vor einem Karriereknick. Und vor dem persönlichen Versagen.«

»Und Singer?«

»In der Kaserne funktionierte er. Aber draußen? Er war … er ist«, verbesserte er sich, »sehr schwer krank.«

»Was hat Sie eigentlich veranlasst, mich doch noch zu treffen?«, fragte Dengler unvermittelt.

Der Professor schob hektisch das Blatt vor sich hin und her.
Dengler bemerkte, dass er puterrot anlief.

»Sie wurden gebeten. Stimmt's?«

Bartsch schien die Luft anzuhalten. Sein Kopf schien gleich zu platzen. Immer nervöser verschob er das Papier und ordnete es sofort wieder.

»Wer hat Sie gebeten, mit mir zu sprechen?«, fragte Dengler.

Mit einem Zischen entfuhr Bartsch die Luft.

»Niemand«, sagte er, aber er deutete mit dem Finger an die Decke.

Dengler nickte.

»Ich danke Ihnen für das Gespräch«, sagte er.

Eifersucht

Auf dem Rückflug las Dengler noch einmal seine Notizen über das Gespräch mit Bartsch. Der Professor hatte ihm noch Kopien einiger Vortragstexte mitgegeben, die Dengler aufmerksam studierte.

Er verglich alles mit den Aufzeichnungen, die er über Florian Singer angefertigt hatte.

Dengler schloss die Augen und lehnte sich in seinem Sitz zurück. Überraschend meldete sich in diesem Moment die metallene Stimme des Unbekannten in seinem Gehirn: »Sonst geht es dir wieder so.« Der Unbekannte hatte seine Drohung nicht wahr gemacht. Er hatte Dengler nicht wieder angegriffen, obwohl er seine Forderung ignoriert hatte. Lass die Finger von Singer – das hatte die durch den Zerhacker verfremdete Stimme von ihm verlangt. Er rief sich diesen Satz des Unbekannten noch einmal in sein Gedächtnis zurück.

Lass die Finger von Singer.

Plötzlich wusste er, dass etwas an diesem Satz falsch war. Fast gewaltsam versuchte er sich zu erinnern.

Lass die Finger von Singer.

Er versuchte sich an Betonung, Stimmlage oder eine Dialektfärbung in der Aussprache zu erinnern, aber der Zerhacker hatte all dies absorbiert.

Trotzdem.

Er hatte etwas übersehen, aber er wusste nicht, was.

Mit der S-Bahn fuhr er vom Stuttgarter Flughafen bis zur Haltestelle Stadtmitte. Als er am Rotebühlplatz mit der Rolltreppe die unterirdische Passage verließ, nieselte ein leichter Sommerregen auf die Stadt. Unter dem Tagblattturm in einer kleinen Bar trank er im Stehen einen doppelten Espresso mit Milch.

Lass die Finger von Singer.

Er hatte die Drohung ignoriert. Es konnte also sein, dass eine neue Attacke bevorstand.

Sonst geht es dir wieder so.

Die Schmerzen waren unerträglich gewesen. Und angegriffen zu werden, ohne den Gegner zu sehen – das alles war unheimlich genug. Nein, auf eine Wiederholung legte er keinen Wert.

***

Am Abend kochte er für Olga. Auf dem Weg zurück in seine Wohnung hatte er einen Umweg über die Markthalle genommen und dort Zwiebeln und zwei Radicchio eingekauft.

Er warf die Spaghetti ins kochende Salzwasser. Er schnitt eine mittelgroße Zwiebel in halbe Ringe und hackte den Radicchio. Beides gab er in eine Pfanne mit heißem Öl und erhitzte alles. In einem kleinen Topf kochte er einen Viertelliter Gemüsebrühe auf. Dann gab er drei Chili in die Pfanne. Bevor die roten Blätter braun wurden, löschte er das Gemisch mit der Brühe ab und fügte einen kräftigen Schuss spanischen Weinbrand hinzu. Dann schüttete er noch einen Becher süße Sahne hinzu und verdickte das Radicchio-Zwiebel-Gemisch, indem er etwas Mehl durch ein Sieb darüberstreute. Dann wartete er, bis die Spaghetti fertig wurden. In dieser Zeit kochte die Soße weiter ein.

»Pasta mit Radicchio«, rief er und servierte das Essen auf zwei vorgewärmten Tellern.

Während des Essens erzählte er Olga von dem Gespräch mit Professor Bartsch im Hamburger Bundeswehr-Krankenhaus. Olga hörte konzentriert zu.

»Und wie willst du diesen Irren finden?«, fragte sie. »Und was willst du von ihm wissen, wenn du ihn gefunden hast?«

»Ich will wissen, warum er versucht hat, mich umzubringen.

Und was er in Afghanistan erlebt hat. Warum er seine Frau quält, bevor er davonläuft.

Und noch etwas anderes beschäftigt mich. Die Drohung des unbekannten Angreifers neulich am Telefon. Ich erinnere mich, dass er gesagt hat: ›Lass die Finger von Singer.‹ Aber irgendetwas an diesem Satz war anders, ich weiß nicht mehr, was.«

»Komm mal mit«, sagte Olga und bugsierte ihn auf die Couch.

»Leg dich hin, entspann dich, schließ die Augen und versuche dich nur an die Geräusche zu erinnern, an die Stimme als Ton, nicht an die Worte. Nur an die Geräusche.«

Sie legte ihre Hand auf seine Stirn. Dengler schloss die Augen.

Er versuchte sich an die Geräusche zu erinnern. An die Stimme. Aber er kam immer zu dem gleichen Resultat.

Lass die Finger von Singer.

»Wie ist der Ton der Stimme?«

»Metallen.«

»Erinnere dich an die Melodie dieses Satzes.«

»Die Melodie?«

»Ja, die Melodie.«

»*Lass* – ganz kurz, entschieden, es klang wie *Hass*.«

»Gut. Weiter.«

»*Die* – immer noch metallen. Direkt hinter dem Lass. Aber das i etwas lang gezogen. *Diiiie*. Aber nicht viel. Nur ein bisschen.«

»Und der Finger reimt sich auf Singer. Fast ein Gedicht.«

»Gedicht? Nein, so hat es sich nicht angehört. Kein Gedicht!«

»Die Finger von Singer – das reimt sich.«

»So war's nicht.«

Und plötzlich wusste er es.

»Es hat geknackt. Der Zerhacker hat geknackt. Nach dem *von* hat es geknackt.«

Er war enttäuscht. Nicht mehr als ein Knacken.

»Das kann den Sinn des Satzes geändert haben«, sagte Olga, »wenn das Knacken ein anderes Wort zerstört oder übertönt hat.«

Sie schwiegen.

»Lass die Finger von *der* Singer«, sagte Dengler.

Olga zog eine Augenbraue hoch.

»Er scheint eifersüchtig zu sein«, sagte sie.

»Und eine gefährliche Waffe zu haben«, sagte er.

★★★

Am nächsten Morgen war Dengler um sechs Uhr hellwach. Olga lag neben ihm und schlief, den Mund leicht geöffnet. Vorsichtig stand er auf, schlüpfte in seine Jeans und ging hinunter in seine Wohnung. Auf dem Teppich vor seinem Bett machte er achtzig Liegestütze, dann duschte er. Noch im Bademantel brühte er sich in der Küche einen Espresso. Er holte die Milch aus dem Kühlschrank, doch dann stellte er sie wieder zurück. Heute trank er den Kaffee schwarz. Seine Gedanken kreisten um Florian Singer.

Um acht saß Dengler an seinem Schreibtisch. Auf dem Anrufbeantworter war eine Nachricht von Nolte, der einen genauen Zeitpunkt wissen wollte, ab dem Dengler für ihn arbeiten könnte. Der Kunde von der Versicherung wollte zurückgerufen werden, und von Sarah Singer waren drei Anrufe auf dem Band.

Er arbeitete eine Stunde an dem neuen Versicherungsauftrag, dann rief er Sarah Singer an.

»Sie haben Florian gefunden?«, fragte sie, sofort nachdem er sich gemeldet hatte.

»Ja. Kann ich persönlich mit Ihnen darüber reden?«

»Ja.« Aber dann zögerte sie. »Warum können Sie mir jetzt nicht einfach sagen, wo er ist?«

Weil das BKA mithört, dachte Dengler, und diese Nachricht eine falsche Fährte, ein Lockmittel ist. In Wirklichkeit weiß ich nicht mehr als vorher. Nur dass Singer eifersüchtig ist, das weiß ich. Und dass ich diese Eifersucht nutzen will, um ihn zu finden.

»Ich muss persönlich mit Ihnen sprechen«, sagte Dengler.

»Heute Abend?«

Dengler spürte, wie sie sich einen Ruck gab.

»Also meinetwegen – bis heute Abend.«

Dritter Teil

Calw, am Abend

Dieses Mal nahm er sich einen Leihwagen. Kein rotes Stadtmobil. Keine Auffälligkeiten. Keine Fehler. Konzentration. Aufmerksamkeit. Die Fährte, die Dengler verfolgte, war vage genug. Das Wild war scheu und gefährlich zugleich. Er hatte die Smith & Wesson aus dem Safe genommen und durchgeladen. Sie steckte nun in dem Schulterhalfter. Dengler hoffte, dass er sie nicht brauchen würde.

Es war bereits dunkel, als er Calw durchquerte. Er kontrollierte die Straßen in der Nähe ihres Hauses, aber sah weder einen dunklen Kastenwagen noch irgendein anderes Auto, das seinen Verdacht erregte. Dengler parkte den schwarzen A6 hinter Sarah Singers blauem Toyota so, dass die Fahrerseite zum Bürgersteig stand. Er verschloss den Wagen nicht. Falls notwendig, konnte er sofort in den Wagen springen.

Sarah Singer führte ihn diesmal nicht ins Wohnzimmer, sondern in die Küche. Sie stellte zwei Gläser auf den Tisch und eine Karaffe Wasser.

Sie setzte sich.

Dengler spürte, wie distanziert sie war. Vielleicht hatte sie ihm die Zurückweisung nicht verziehen.

»Sie haben also meinen Mann gefunden?«

»Ich habe eine Spur. Auf der kann ich ihn möglicherweise finden.«

»Nur eine Spur? Am Telefon hörte sich das aber anders an.«

»Ihr Mann ist eifersüchtig. Vielleicht krankhaft eifersüchtig. Er überwacht Sie.«

Er erzählte ihr von dem Anruf, ohne den Angriff zu erwähnen.

»›Lass die Finger von der Singer‹ – das soll Florian gesagt haben? Warum, um Gottes willen, sollte er?«

Sie schien ihm nicht zu glauben.

Dengler zog sein Notizbuch aus der Tasche und riss ein Blatt heraus.

Ich vermute, dass Ihr Mann ein Mikrophon oder eine Kamera in Ihrer Wohnung installiert hat, schrieb er darauf und schob es ihr über den Tisch.

Sie las den Zettel aufmerksam und sah ihn dann ruhig und fragend an.

»Wo sind Ihre Kinder?«, fragte Dengler.

»Sie schlafen bei den Eltern. Bis ich das hier durchgestanden habe.«

»Gut.« Dengler nickte.

»Stellen Sie den Fernseher an oder das Radio.«

Sie stand auf und schaltete das kleine Transistorradio an, das auf einem Regal über der Spüle stand. Dengler rückte näher zu ihr heran und erläuterte seinen Plan.

***

Was macht der Bonzenschlitten vor ihrem Haus?

Langsam fuhr er an der Kreuzung vorbei, die ihm einen Blick in ihre Straße erlaubte.

Hamburger Kennzeichen.

Empfängt sie jetzt schon Kunden aus Norddeutschland?

Wut erfüllte ihn so unvermittelt, dass er sich verkrampfte und das Lenkrad nach rechts riss. Der Wagen streifte den Bürgersteig. Singer trat fest auf die Bremse. Der Motor wurde abgewürgt. Sein Kopf raste der getönten Windschutzscheibe entgegen, die Bewegung seines Oberkörpers wurde erst im letzten Augenblick vom Sicherheitsgurt gebremst. Singer atmete heftig, und es kam ihm vor, als sehe er Sternchen.

Nun gut – sie wollte es nicht anders.

Er wendete den Wagen und parkte ihn wieder auf einem der Stellplätze bei der alten Linde. Dann stieg er aus, öffnete die rückwärtige Tür zum Kastenraum und sprang hinein.

Drinnen wurde er wieder ruhig.

Obwohl es eine warme Spätsommernacht war, fror er.

Es dauerte zwei Minuten, bis die Aggregate betriebsbereit schnurrten und er den Laptop hochgefahren hatte. Dann sendete er die ersten Strahlungen ab. Die Koordinaten kannte er im Schlaf.

Er lachte bitter. Ja, diese Koordinaten kannte er auswendig.

Auf dem Laptop tauchten die Konturen des Flurs auf. Das Bild, schwarz-weiß wie immer, zeigte ihm, ähnlich wie eine Röntgenaufnahme, den Treppenaufgang, die Tür zur Gästetoilette, die Tür zum Wohnzimmer, die offen zu stehen schien. Er korrigierte die Koordinaten durch eine kleine Bewegung mit dem Joystick. Das Bild auf dem Laptop wanderte auf die Küchentür zu, durchquerte sie und zeigte ihm nun den Herd.

Leichte Bewegung mit dem Joystick.

Der Küchenschrank, daneben das Fenster, die Tür, die zum Garten führt.

Erneute Bewegung mit dem Joystick.

Er sah den Küchentisch, zwei Gläser darauf.

Na also.

Er zog den Hebel nach oben.

Das Bild, als würde es von einer Kamera erzeugt, hob sich und durchquerte die Decke. Er konnte die einzelnen Balken erkennen.

Nun war er im Kinderzimmer.

Es war leer.

Wenigstens hat sie die Kinder aus dem Haus gebracht, dachte er.

Leichter Druck an dem Hebel nach rechts.

Das Schlafzimmer.

Singer atmete einmal kräftig und korrigierte noch einmal das Bild.

Das Bett.

Er sah die beiden Körper.

Sie bewegten sich.

Sie warf den Kopf nach hinten.

Die Unterleiber!

Im gleichen Rhythmus.

Die Bettdecke, die Wellen warf auf seinem Bildschirm.

Singer stieß einen Zischlaut aus.

Der Hass machte ihn fast blind.

Er hackte auf die Tastatur ein.

Gefechtsbereitschaft herstellen.

Das Aggregat summte vernehmlich.

Wie Musik klang es in seinen Ohren.

Gefechtsbereitschaft hergestellt, meldete der Bildschirm.

Kleine Dosis. 95 Gigahertz.

Sie sollen jetzt erst mal was Richtiges spüren.

Angst kriegen.

Fahrt zur Hölle!

Feuer!

***

Der Schlag traf Dengler mit einer solchen Vernichtungskraft ins Kreuz, dass er dachte, er würde bei lebendigem Leibe auseinandergerissen. In seinem Inneren explodierten glühende Sonnen und verbrannten seine Gedärme. Wie von einer Urgewalt getroffen, bäumte er sich auf.

Sarah Singer schrie in einem grässlich hohen Ton. Sie hatte Augen und Mund weit aufgerissen. Ein Krampf schien ihren Körper um die eigene Achse drehen zu wollen.

Dengler griff mit der linken Hand unter die Bettkante und zog, so fest er konnte. Kurz bevor er ohnmächtig wurde, fiel er aus dem Bett. Die Schmerzen ließen sofort nach. Noch benommen, richtete er sich auf. Sarah Singer schrie und wälzte sich im Bett.

Dengler torkelte ans Bettende. Zweimal musste er zugreifen, bevor er ihre Füße zu fassen bekam. Dann zog er sie aus dem Bett. Sie hörte auf zu schreien, sah ihn aber mit aufgerissenen Augen an.

»Weg hier«, schrie er sie an. »Laufen Sie hin und her. Immer bewegen.«

Sie schien ihn verstanden zu haben. Mühsam richtete sie sich auf.

Dengler rannte die Treppe hinunter. Im Laufen zog er die Waffe aus dem Schulterhalfter und legte den Sicherungsbügel um.

★★★

Wo sind sie?

Singer starrte auf den Laptop, der ihm das leere Bett zeigte.

Er hatte sie getroffen.

Doch wo waren sie jetzt?

Er hämmerte auf die Tastatur.

200 Gigahertz.

Finale Ladung.

Den nächsten Treffer würde keiner überleben.

Er bewegte den Joystick nach links.

Nach rechts.

Viel zu schnell.

Das Bild auf dem Laptop konnte sich nicht so schnell aufbauen, wie er den Hebel bewegte.

Langsam.

Du kriegst sie.

Er fuhr einmal im Kreis. Im Schlafzimmer waren sie nicht mehr. Hebel nach links.

Im Kinderzimmer waren sie auch nicht.

Die Treppe.

Er sah eine Bewegung.

Ihr Kopf.

Feuer!

Die Salve kam zu spät.

Egal.

Er drückte den Hebel tiefer und sah auf dem Laptop, wie sich das Bild des Flurs aufbaute.

Langsam hin- und herfahren.

Da war sie.

Wollte in den Keller.

Singer lachte.

Jetzt hab ich dich.

***

Ihre Finger gehorchten ihr nicht.

Beide Hände zitterten so stark, dass sie den Schlüssel nicht zu fassen bekam.

Sie musste sich verstecken. Sie war verloren, wenn die Tür zum Keller nicht endlich aufging.

Sarah Singer wollte sich nur noch verstecken. Sie nahm sich zusammen. Drehte den Schlüssel um, suchte den Lichtschalter an der Wand, drehte das Licht an und stieg mit wackligen Knien die Treppen hinab.

***

Dengler stieß die Haustür auf und rannte auf die Straße. Er sah sich um.

Nichts Verdächtiges zu sehen.

Er entschied sich, die Straße hinunterzulaufen. Warum, wusste er nicht. An der Kreuzung blieb er stehen, die Pistole in der Linken.

Nichts zu sehen.

Kein Mensch, kein Auto – nichts.

Willkürlich entschied er sich für rechts.

Er rannte los.

Nichts.

Nach hundert Metern drehte er um.

Lief in die andere Richtung.

Nichts.

Oder doch?

War da ein Schatten unter dem großen Baum?

***

Kühl beobachtete Singer seine Frau, die zitternd die Treppe hinunterging, sich mit der rechten Hand an der Wand abstützend. Als sie unten war, fokussierte er eine Ladung auf ihren Kopf. Plötzlich drehte sie sich um, und er sah ihr angstverzerrtes Gesicht.

Wie von einer Tarantel gestochen fuhr er zurück und ließ den Hebel los.

»Scheißegal«, sagte er laut zu sich, und sein Finger tastete zum Abzugsknopf auf dem Joystick.

***

Dengler rannte auf den schwarzen Kastenwagen zu. Die Nummer konnte er nicht erkennen. Aber er sah die Stummelantenne auf dem Dach.

Er blieb stehen und schoss zweimal.

***

Das erste Geschoss durchschlug die Karosserie des Wagens und ließ Metallsplitter auf Singer regnen. Das zweite Geschoss traf etwas tiefer und raste auf Kopfhöhe durch den Aufbau. Singer sah zwei sternförmig klaffende, zerfranste Ein- und Ausschusslöcher.

Ohne eine Sekunde zu zögern, sprang er auf, stieß die Tür auf und rannte auf der vom Schützen abgewandten Seite zur Fahrerseite. Als er die Fahrertür aufriss, hörte er einen fast unmenschlichen Schrei.

»Florian! Bleib stehen!«

Aber er saß schon hinter dem Lenker.

Er startete den Wagen.

Sah die Gestalt mit der Waffe.

Erster Gang.

Vollgas.

Mit quietschenden Reifen setzte sich der Kastenwagen in Bewegung.

Erst da dachte Singer: Warum schießt der nicht?

Und als er die erste Kurve genommen hatte und außer Gefahr war, fuhr ihm durch den Kopf: Warum ruft der mich beim Vornamen?

Abgehängt

Warum hatte er nicht noch einmal geschossen?

Dengler wusste es nicht.

Er sah den aufheulenden dunklen Kastenwagen schaukelnd und mit großer Beschleunigung unter der Linde hervorrasen und auf der Straße Richtung Stuttgart verschwinden.

Er rannte zurück. Vor der Tür stand Sarah Singer. Sie hatte ihre Arme um den Bauch gelegt. Die Hand, in der sie die Zigarette hielt, zitterte.

»Sie sind außer Gefahr. Rufen Sie einen Arzt!«, rief er ihr zu.

Dann saß er im A6 und gab Gas.

Er musste sich beeilen. Wenn er Singer nicht noch hier in Calw erreichte, würde er ihn nie erwischen. In Calw gabelten sich die Straßen, und es gab zu viele Abzweigungen. Dengler drückte das Gaspedal bis zum Anschlag auf den Boden. Der A6 schoss nach vorne.

Zweimal musste er auf der abfallenden Straße waghalsige Überholmanöver durchführen. Ein Lkw, den er knapp vor einem entgegenkommenden Pkw überholte, gab ihm Hoffnung, dass dieser Singer länger aufgehalten hatte als ihn.

Auf der Durchfahrtsstraße, die direkt an der Nagold vorbeiführt, sah er den Wagen. Er hoffte jedenfalls, dass er es war. Ein dunkler Kastenwagen, der zügig Calw durchquerte, aber offensichtlich sorgsam darauf achtete, die Geschwindigkeitsvorschriften nicht zu verletzen. Dengler vermied ab sofort auffällige Überholmanöver, die Singer im Rückspiegel auffallen mussten. Doch langsam schob er sich an den Wagen heran, und als er das Münchner Nummernschild erkannte, wusste er, dass es Singer war, den er verfolgte.

An einer Kreuzung ließ er sich zwei Wagen zurückfallen, er ließ Singers Kastenwagen nicht mehr aus den Augen.

★★★

Hinter Calw bog Singer auf die L296, die schwäbische Dichterstraße, in Richtung Herrenberg. Dengler hoffte, dass Singer nicht damit rechnete, dass er so schnell die Verfolgung hatte aufnehmen können. Er wird sich vermutlich in sein Versteck zurückziehen wollen, dachte Dengler, aber ihm war klar, dass er trotzdem damit rechnen musste, dass Singer sicherheitshalber einige Manöver durchführen würde, um etwaige Verfolger abzuschütteln. Er war hellwach.

Über das Handy rief er Sarah Singer an. Sie meldete sich mit tonloser Stimme. Nachbarn seien da, sagte sie. Sie hätten auch die Polizei und den Krankenwagen alarmiert.

»Wenn er es war, will ich ihn nie wieder sehen«, sagte sie. »Nie wieder.«

Aber ich, dachte Dengler, ich will ihn wiedersehen. Ich will wissen, warum er versucht hat, mich am Windgfällweiher umzubringen.

Er war jetzt völlig ruhig.

Er rief Hauptkommissar Weber auf dem Stuttgarter Polizeipräsidium an. Es meldete sich nur der Anrufbeantworter. Er probierte es auf dem Handy. Die Mailbox meldete sich.

»Hier spricht Georg Dengler«, sagte er. »Meine Klientin Sarah Singer und ich wurden eben Zielscheibe eines Angriffs, der sehr an die Morde unter dem Marktplatz erinnert. Ich folge dem Täter. Er sitzt in einem dunklen Mercedes Sprinter mit der Nummer M-HL 324 und fährt auf der Landstraße von Calw aus in Richtung Autobahn Stuttgart-Singen. Ich bleibe dran. Ich habe zweimal auf das Kfz geschossen, den Fahrer aber nicht getroffen, auch nicht verletzt. Infolge der Schüsse alarmierten Nachbarn die örtliche Polizei und den Rettungsdienst. Ihre Kollegen sind jetzt wahrscheinlich bei meiner Klientin.«

Hinter Herrenberg überquerte Singer die Autobahn und fuhr in Richtung Tübingen. Er durchquerte die Stadt. Als er am Ortsausgang die Schnellstraße nach Reutlingen nahm, fing es an zu regnen. Erst nur wenig, aber dann schüttete es, und Dengler musste das schnellste Intervall des Scheibenwischers einstellen. Trotzdem konnte er Singer immer noch ohne Probleme folgen. Der rege Verkehr auf der Straße schützte ihn. In Reutlingen nahm Singer die Straße nach Metzingen. Der Regen fiel nun in dichten Schnüren. Singer würde ihn in der Kette der vielen Lichter nicht bemerken. In Metzingen bog Singer nach rechts auf die B28 in Richtung Bad Urach.

Dengler wunderte sich, dass Weber ihn nicht zurückrief.

In Bad Urach bog Singer in zügigem Tempo nach links auf die Landstraße 211 ab. Dengler blieb hinter ihm. Grabenstetten und die Falkensteiner Höhle wurden von einem Straßenschild angekündigt. Es regnete noch immer stark.

Plötzlich änderte sich die Überwachungssituation. Auf der kleineren Landstraße waren sie die beiden einzigen Wagen. Singer würde bereits registriert haben, dass ein Wagen hinter ihm war.

Dengler überlegte, ob er ihn überholen und mit der Smith & Wesson zum Aussteigen zwingen sollte. Er verwarf den Gedanken aber sofort wieder. Er wusste nicht, welch eine Waffe Singer in diesem Auto zur Verfügung hatte. Er wusste nur, dass sie schrecklich war.

Es ging nun steiler bergauf. Die Straße kletterte die Schwäbische Alb hinauf. Häuser waren verschwunden, die Straße wurde von Wiesen flankiert, dahinter wuchs dichter Wald.

Plötzlich beschleunigte der Wagen vor ihm. Damit hatte Dengler gerechnet. Er unterdrückte den Impuls, ebenfalls Gas zu geben. Singer hatte schon einmal die Elektronik seines Autos zerstört. Dengler fuhr im gleichen Tempo weiter bergauf. Singer verschwand hinter einer Kurve. Nun beschleunigte Dengler kurz, bremste aber kurz vor der Kurve. Er war wieder an ihm dran. Sie fuhren durch dichten Wald. Singer fuhr immer noch schnell und vergrößerte zügig die Distanz. Er verschwand wieder hinter einer Kurve. Als Dengler aus dieser auftauchte, sah er Singer gerade in die nächste einbiegen. Als Dengler auch diese nahm, sah er den Sprinter nicht mehr. Nun gab er Gas. Aber Singer war weg. Er fuhr bis Grabenstetten und drehte dann um.

Er fuhr durch den strömenden Regen zurück.

Singer hatte ihn abgehängt.

Er war irgendwo auf der Strecke verschwunden.

Aber immerhin wusste er nun, wo er ihn suchen musste.

Siebter Bericht: Mit Absicht

Kollateralschäden. Darüber kann ich nur lachen. Ich habe unzählige Treffer der amerikanischen Luftwaffe auf zivile Ziele gesehen: Schulen, normale Häuser, Krankenhäuser – auch das zerstörte Kabuler Krankenhaus, auf dessen Dach doch zwei riesige Rote Kreuze aufgemalt worden waren. So schlecht kann niemand zielen, dass er das unabsichtlich trifft.

Ich habe bei den zivilen Treffern nach möglichen militärischen Zielen in der Nähe gesucht – es gab keine. Irgendwann dämmerte es mir: Wenn in einem Radius von 500 Metern kein militärisches Ziel zu finden ist, dann kann der Treffer kein Zufall sein. Wie ein böser Verdacht stieg es in mir auf, und heute weiß ich, dass meine furchtbare Schlussfolgerung stimmt: Es ist Absicht.

Aber was ist mit der Genfer Konvention? Was ist mit dem Soldatengesetz? Gilt das alles für mich nicht mehr? Wir haben es doch gelernt. Artikel 54 des Zweiten Zusatzprotokolls zur Genfer Konvention verbietet es, »für die Zivilbevölkerung lebensnotwendige Objekte« anzugreifen. Wer dies absichtlich tut, ist – ein Kriegsverbrecher.

Ich habe viele Kriegsverbrechen gesehen.

Wir hatten einen Hauptmann bei uns, der sich mit militärischen Strategien beschäftigte. Clausewitz haben wir ihn genannt. Mit dem habe ich darüber gesprochen. Der zeigte mir ein Handbuch der amerikanischen Luftkriegsführung, geschrieben von einem General, von John A. Warden. Darin macht er aus den Angriffen auf die Zivilbevölkerung ein System. Clausewitz erklärte es mir: »Es geht nicht mehr darum, das feindliche Militär zu schlagen, wie in früheren Zeiten. Sondern die Bevölkerung des angegriffenen Landes zu zwingen, die eigene Position zu akzeptieren.« Die militärischen

Truppen des Feindes zu vernichten sei dazu bestenfalls Mittel zum Zweck, im schlimmsten Fall reine Verschwendung.

Und das Soldatengesetz, fragte ich ihn. Gilt das für uns hier nicht mehr? Und die Genfer Konventionen?

Da sah mich der Hauptmann an. »Wir sind frei«, sagte er. »Endlich frei im Stahlgewitter.«

Alte Freunde

Morgens um fünf klingelte es an der Tür. Einmal. Zweimal. Dann zweimal hintereinander.

Dengler schreckte aus dem Schlaf. Er griff zur Seite, suchte Olga, aber ihm fiel ein, dass er nach Mitternacht heimgekommen war und sie nicht mehr hatte wecken wollen. Er lag allein in seinem eigenen Bett.

Nun läutete es Sturm.

Vielleicht Jakob, dachte er.

Dengler ging schlaftrunken an die Tür und öffnete.

Ein Schlag an die Brust traf ihn. Er taumelte zurück. Vier Männer stürmten in seine Wohnung.

»Hausdurchsuchung. Gefahr in Verzug. Ziehen Sie sich etwas an!«, schrie ihn ein Mann an und hielt ihm einen Ausweis vor die Nase.

Bundeskriminalamt.

Dengler ging zurück ins Schlafzimmer und zog seinen alten blauen Bademantel über. Der erste Beamte, offenbar der Einsatzführer, war ihm gefolgt.

Einer der anderen drei Polizisten erschien an der Tür, ging sofort auf Denglers Kleiderschrank zu und öffnete die Tür. Er wühlte zwischen den dort aufgehängten Jacketts herum. Die anderen beiden checkten die übrigen Räume.

»Gehen wir in die Küche«, sagte Dengler.

»Auch einen Kaffee?«, fragte er und wies mit der Hand auf einen Küchenstuhl.

»Wo ist Florian Singer?«, fragte der Beamte und setzte sich.

Dengler nahm die Espressokanne aus dem Schrank. »Das wüsste ich auch gerne.«

Er füllte die Kanne mit Wasser und Pulver und stellte sie auf die Herdplatte.

»In seinem Büro ist niemand«, meldete ein Beamter.

Der Einsatzleiter zog ein Aufnahmegerät aus der Tasche, schaltete es ein und legte es auf den Tisch.

»Sie haben ihn gestern Abend gesehen. Sie sind ihm gefolgt. Wo ist er?«

»Er ist entwischt.«

»Das Schlafzimmer ist clean«, meldete ein weiterer Beamter.

Dengler erzählte, wie er Florian Singer verfolgt und bei Reutlingen verloren hatte.

»Es regnete, wissen Sie, und er fuhr schnell. Ich habe keine Ahnung, wo er geblieben ist. Vielleicht fuhr er in einen Waldweg und später in der Gegenrichtung davon. Ich bin nicht mehr geübt in solchen Sachen.«

Dengler hatte ihnen beiden Espresso eingeschenkt. Er hatte die Situation im Griff.

»In dieser Wohnung ist nichts«, meldete der dritte Polizist.

»Melden Sie sich, wenn Sie etwas Neues wissen. Wir suchen Singer dringend.«

Der Beamte steckte das Aufnahmegerät wieder ein und legte stattdessen eine Visitenkarte auf den Tisch.

»Scheuerle will ihn wohl persönlich haben, oder?«

»Dr. Scheuerle leitet diese Sache, ja. Sie hat höchste Priorität.«

»Worum geht es eigentlich? Was für eine Waffe hat Singer in dem Auto?«

»Wir dürfen nichts sagen.«

Es klopfte an der Tür. Dengler öffnete. Olga stand davor. »Was ist hier los?«

»Bundeskriminalamt. Die Herren wollten gerade gehen«, sagte Dengler. Die Polizisten standen bereits hinter ihm.

Ein paar Minuten später waren sie weg.

Und Dengler wusste, dass er sich beeilen musste, wenn er Singer finden wollte. Erst mal würde seine kleine Lüge die Herren auf die falsche Fährte locken.

***

Später frühstückten sie im Café *Bitter & Sweet*.

Dengler erzählte Olga von den Vorfällen der letzten Nacht.

»Glaubst du, dass dieser Singer weiß, dass du sein Jugendfreund bist?«

Dengler schüttelte den Kopf.

»Woher sollte er es wissen? Ich bin der Typ, der bei seiner Frau ein und aus geht. Deshalb hasst er mich. Und nach so langer Zeit wird er mich nicht mehr erkennen.«

Sein Handy klingelte.

Es war Weber von der Stuttgarter Kripo.

»Hallo, Herr Dengler«, sagte er. »Sie haben heute schon Besuch von Ihren alten Kollegen gehabt ...«

»Ja, zur klassischen Zeit. Morgens um fünf.«

»Sie verstehen: Ich konnte Sie nicht warnen.«

»Sicher. Aber um was geht es dem BKA?«

Er schaltete den Lautsprecher des Handys ein, sodass Olga mithören konnte.

»Der Singer ist durchgeknallt. Er war wohl zu lange in Afghanistan. Wir gehen davon aus, dass er eine neuartige Waffe gestohlen hat, von der wir noch nicht genau wissen, um was es sich handelt. Und nun läuft er damit Amok. Hat verdammt viel Unheil damit angerichtet. Ich vermute, dass er auch mit den Morden in Stuttgart und Mannheim zu tun hat. Die Fahndung läuft. Und irgendwann haben wir ihn. Wahrscheinlich jedenfalls. Die Sache ist noch geheim. Das BKA, die Regierung und wer weiß ich noch alles wollen nicht, dass die Sache mit dieser Geheimwaffe an die Öffentlichkeit kommt. Und sie wollen keine Schlagzeile, dass ein Afghanistankämpfer Amok läuft. Keine unbequemen Fragen der Presse. Politik eben. Bei der Bevölkerung ist der Krieg da unten ohnehin nicht populär. Das kennen Sie ja alles.«

Dengler bedankte sich für die Information und legte auf.

»Was willst du nun tun?«, fragte Olga.

»Ihn finden, bevor ihn Scheuerle findet. Ich weiß immerhin, wo er sich ungefähr versteckt haben könnte.«

»Dein alter Feind beim BKA hat damit zu tun?«

»Ja. Diesmal holt mich wohl meine gesamte Vergangenheit ein.« Dengler lachte.

Er sah Olga an, dass sie etwas sagen wollte, es aber unterdrückte.

Er küsste sie.

»Ich bin vorsichtig«, sagte er.

Aber er hatte Angst.

Achter Bericht: Action Jackson

Wir flogen in das verfickte Shah-e-Kot-Tal. Wir waren den Amis als Verstärkung ihrer Infanterie beigeordnet. Action Jackson. Meine beiden Systeme standen immer noch unten auf dem Flughafen – unberührt. Es hieß, die Taliban hätten sich in die Höhlen verkrochen. Da sollten sie ausgeräuchert werden.

Das war mein Ding.

Dafür war *ich* ausgebildet.

Dafür hatte ich die Waffen. An diesem Gerät war ich jahrelang ausgebildet worden. Deshalb war ich in diesem Land, in diesem beschissenen Krieg.

Stattdessen stand ich hier in diesem verdammten Tal rum.

Vor den Höhlen flogen die Amis immer mehr Gerät ein. Aber nicht unseres. Nicht meines.

Ich machte Meldung. Bei dem ranghöchsten deutschen Soldaten, einem Major, der dort rumlief.

Schaun mer mal, sagte der.

Was ist das für eine Haltung?

Ich machte Meldung bei dem amerikanischen Truppführer. Der schrie mich an, ich solle wieder zu meinem Trupp zurück. Aber immerhin, das sah ich, telefonierte er.

Die Hubschrauber flogen drei Humvee ein. Die schwebten schön in der Luft.

Die könnten auch sofort meine Luchse holen, dachte ich.

Dann großes Getue bei den Amerikanern.

Ein General persönlich.

Landete in einem eigenen Helikopter.

General John Gordon, der die Ausräucherung hier oben befehligte, hieß es. Ein Typ, der wie ein italienischer Gigolo aussah.

Ich war kurz vorm Durchdrehen.

Irgendwie stolperte ich durch die Reihen auf den General zu, der da mit seinen Offizieren stand. Action Jackson.

Sir, brülle ich, stehe stramm, grüße und mache Meldung. Das ist der deutsche Job, mein Job, sage ich und so weiter.

Der General guckt mich von oben bis unten an und fragt mich, wie ich heiße und so weiter. Ein Adjutant schreibt alles auf.

Ihr Einsatz kommt heute, sagt er und klopft mir auf die Schulter. Und geht weiter.

Und sein Tross hinterher.

Ich bleibe stehen. Ziel erreicht.

Ich war verdammt stolz auf mich.

Man muss es den Amis manchmal einfach zeigen, dachte ich.

Dann ging es los. Man sah ja nicht viel. Nur die Aufregung der Offiziere.

Irgendwann steht der Adjutant des General vor mir.

Ready. Germans to the front, sagt er.

Winkt mir. Ich hinterher.

Geht es los?

Sie stellen einen Trupp zusammen.

Wir müssen in die Höhlen.

Und dann …

Es war alles längst vorbei.

Ich habe zwei Tage Leichen eingesammelt.

Die Dorfbevölkerung war in die Höhlen geflohen.

Ich trug verkohlte Frauen heraus. Verkohlte Kinder. Verkohlte alte Männer. Die verkohlten Ziegen ließen wir drin.

Der Geruch: rauchig, metallen, süß. Verbranntes Menschenfleisch.

Stundenlang.

Tagelang.

Jeder von uns musste kotzen.

Keiner konnte essen, kaum trinken.

Die Nächte danach waren schrecklich.

Seither krieg ich den Geruch nicht mehr aus der Nase.

Ich bin verrückt danach.

Als ich zurück war, in der Klinik in Hamburg, besuchte mich eine Frau mit Fliege. So eine Karrieretussi, die ich schon einmal auf einem dieser Seminare gesehen hatte, bei dem ich die Bedienung der Waffe gelernt hatte.

»Wir geben Ihnen ein System, das wir in einen Mercedes-Kastenwagen eingebaut haben«, sagte sie. »Sie werden Anweisungen von uns bekommen. Und zwar nur von uns. Schreiben Sie nach jedem Einsatz die Daten auf die externe Festplatte. Wir brauchen die Daten sofort, wenn Sie das System eingesetzt haben.«

Sie gab mir die Hand.

»Kommen Sie, draußen steht Ihr Wagen. Jetzt beweisen Sie Ihr Können.«

Zweitausend Höhlen

Nach dem Frühstück mit Olga ging er in einen Buchladen und kaufte sich topographische Karten der Gegend um Bad Urach und einen Führer der Schwäbischen Alb und studierte sie. Ihn interessierten vor allem die Höhlen.

Über zweitausend Höhlen gab es in der Alb, aber die Zahl um Bad Urach war überschaubar. Dengler brachte sie in eine Reihenfolge, markierte sie auf der Karte, und dann brach er auf.

Als er im Wagen saß, war er sich plötzlich sicher, dass in einer dieser Höhlen Singers Versteck war. Während er die neue Weinsteige hinauffuhr, an Degerloch vorbei und dann auf die Schnellstraße in Richtung Reutlingen, beobachtete er den Verkehr hinter sich.

Beschattete ihn das BKA?

Mehrmals gab er unerwartet Gas oder ließ sich langsam zurückfallen, aber es fiel ihm kein Wagen auf, der das Manöver mitmachte.

Aber wenn sie mit mehreren Autos an mir dranhängen, merke ich es nicht, dachte er.

In Bad Urach bog er, wie in der Nacht zuvor, links ab und fuhr den Berg hinauf. Auf dem Parkplatz für die Besucher der Falkensteiner Höhle stellte er den Wagen ab. Es war die Höhle, die an erster Stelle auf seiner Liste stand. Sie war nahe dem Punkt, an dem er Singer verloren hatte.

Er staunte über das riesige Eingangsportal der Falkensteiner Höhle. Dengler hatte nicht damit gerechnet, dass es sich um eine so große Höhle handeln würde. Ein Bach floss aus ihr heraus. Vor dem Eingang stand eine Gruppe von vier Wanderern. Dengler war es recht. Wenn dieser Platz eine Touristenattraktion war, kam er als Versteck für Singer nicht infrage. Er strich die Höhle von seiner Liste.

Als Nächstes stand der Elsachbröller – eine Höhle am Hang gegenüber – auf seiner Liste. Dengler musste sich durch einen extrem schmalen Eingang zwängen, und für einen Augenblick glaubte er, dass er in diesem Zugangsspalt hängen bleiben würde. Aber dann stieß er auf einen Siphon, eine Stelle, in der der Gang völlig unter Wasser stand. Er leuchtete mit der Taschenlampe den Boden ab. Keine Spuren. Keine Fasern an den Wänden oder auf dem Boden. Keine Ein- oder Austrittsspuren am Wasser. Keine Feuerstelle. Nichts. Er kehrte um und fuhr weiter.

Der Büschelbrunner Bröller, so stellte er fest, stand ebenfalls voll Wasser. Nur ein sehr guter Taucher würde in die Höhle kommen. Auch im Schneckenlochbröller fand er keine Spuren.

Als er am Abend nach Stuttgart zurückfuhr, war er niedergeschlagen. Er hatte Singers Spur verloren.

Erschöpft und missmutig nahm er ein Bad. Am Abend berichtete er Olga, die er zum Essen ins *Basta* eingeladen hatte, von seinen Nachforschungen.

»Du hast alle Höhlen im Umkreis untersucht – außer dieser …«

»Falkensteiner Höhle.«

»Dann wird er dort sein.«

»Da sind jede Menge Touristen. Kein gutes Versteck.«

»Oder ein ideales.«

Dengler nahm das Buch über die Höhlen noch einmal zur Hand.

»Vielleicht hast du recht«, sagte er, während er in dem Buch blätterte. »Man kann eine Weile in die Höhle hineinlaufen, dann wird sie schmaler, dieser Gang heißt dann Demutsschlupf, schöner Name, nicht? Dann ein längerer Gang, dem sich zwei Siphons anschließen.«

»Siphons?«

»Das sind zwei tiefer führende Stellen im Gang, in denen Wasser steht. Da kommt man nur weiter, wenn man taucht.«

»Kennst du dich denn in solchen Höhlen aus?«, fragte Olga besorgt.

Dengler brummte, was nichts Genaues bedeutete, aber beruhigend klingen sollte.

»Hier steht eine interessante Geschichte über die Höhle. Ein Apotheker aus Bad Urach mietete die Höhle im 18. Jahrhundert vom Königlichen Bergamt für wenig Geld. Dann verstreute er dort Goldstaub und verbreitete das Gerücht, es gebe Gold in der Höhle. Er verpachtete die Höhle parzellenweise für sehr viel Geld an Goldsucher. Vor dem ersten Siphon kann man auf der Karte noch einen Stollen entdecken, den die Goldsucher in den Berg getrieben haben.«

Er beugte sich über die Karte. Der kahlköpfige Kellner brachte ihnen zwei Gläser Grauburgunder. Er sah Dengler dabei merkwürdig stechend an und machte eine leichte Kopfbewegung zu dem Tisch direkt neben der Tür zur Toilette. Zwei Männer saßen daran, jeder ein Pilsglas vor sich. Alles an ihnen war auffällig, so auffällig, wie es nur zwei Männer sein können, die sich betont unauffällig geben.

Die Kollegen vom BKA haben mich im Auge, dachte Dengler. Das Trinkgeld für den kahlköpfigen Kellner würde heute größer ausfallen.

★★★

Am nächsten Tag mietete Dengler sich bei einem Tauchergeschäft in der Innenstadt einen Neoprenanzug, außerdem kaufte er sich einen festen Helm und eine leistungsfähige Stabtaschenlampe.

Als er nachmittags vor der Falkensteiner Höhle ankam, standen zwei Männer in roten Anoraks davor.

Wanderer, dachte Dengler. Oder als Wanderer getarnte BKA'ler.

Er fragte sie nach dem Wanderweg nach Grabenstetten. Sie erklärten es ihm im breitesten Schwäbisch. Einheimische also. Wohl keine Polizisten.

Der Eingang der Höhle war haushoch. Dengler ging hinein. Auf den ersten Schritten konnte er dem Bach ausweichen, der aus der Höhle floss, doch schon bald nahm das Bachbett den ganzen Weg ein. Das Wasser war eiskalt. Nach zehn Metern verkleinerte sich die Höhle, bald war der Gang nur noch mannshoch, dann kam Dengler nur noch gebückt voran. Er ging vorsichtig, doch hin und wieder rutschte sein Fuß auf den glatten Steinen aus, und einmal wäre er fast gestürzt. Dengler tastete sich langsam vorwärts. Nach zwanzig Metern schaltete er die Stablampe ein.

Drei Minuten später stand er vor dem ersten Hindernis, das auf seiner Karte als *Demutsschlupf* eingetragen war. Der weitere Durchgang war nur noch brusthoch. Das Wasser stand so hoch, dass nur ein Spalt von zwanzig Zentimetern frei war. Dengler ging in die Knie. Er musste den Kopf zurücklegen, damit sein Mund über der Wasseroberfläche blieb. So ging er voran, jeder Schritt ein Abenteuer.

Plötzlich dachte er an den Tunnel im Windgfällweiher. Wie das eiskalte Wasser angeschossen kam. Ein innerer Impuls zwang ihn, sich umzudrehen. Zwei Schritte zurück. Aber dann beherrschte er sich und ging weiter in die Dunkelheit. Wenn er Singer fand, konnte er vielleicht das Rätsel lösen. Er musste ihn finden.

Endlich wurde die Öffnung größer, und die Höhle weitete sich zu einem breiteren Gang, der deutlich bergan stieg. Das Wasser war jetzt nur noch kniehoch. Der Neoprenanzug staute die Körperwärme. Ihm war heiß.

Dann erreichte er den ersten Siphon. Rechts sah er den Stollen, den die betrogenen Goldgräber in die Wand getrieben hatten. Daneben die Abraumhalde, die die armen Männer hier aufgetürmt hatten, ein brusthoher Hügel aus Steinen und Geröll, der die Jahrhunderte offenbar unberührt überstanden hatte.

Nun musste er den ersten Siphon durchqueren. Zwischen Wasser und Tunneldecke war ein Spalt von nicht mehr als fünf Zentimetern Höhe. Dengler nahm die Lampe in beide Hände, legte sich auf den Rücken und schwamm. Immer wieder berührte sein Mund den Felsen der Tunneldecke. Einmal riss ein Vorsprung ihm die Unterlippe auf. Dengler schmeckte sein eigenes Blut. Dann zog er den Kopf zu weit zurück, sofort rann ihm Wasser in die Nase. Nur mit Mühe gelang es ihm, die aufkeimende Panik zu unterdrücken.

Es war still in diesem engen Tunnel. Nur das von ihm verursachte Plätschern hörte er.

Dann endlich weitete sich die Grotte. Das Wasser wurde flacher. Er wusste, dass das hier nur ein Zwischenraum war. Dahinter kam der zweite Siphon, weitaus schwerer zu durchqueren als der erste.

Er richtete sich auf – und blickte in die Mündung einer Walther P9.

»Hallo, Blutsbruder«, sagte Dengler.

Blutsbruder

Im Gesicht von Florian Singer wechselten sich Verwunderung, Zorn, Angst und Irrsinn ab. Es dauerte, bis er begriff.

»Georg?«

Er senkte die Waffe nicht.

Sie sahen sich an.

Es war alles so lange her.

»Was willst du?«

»Du bist mir eine Erklärung schuldig.«

»Du mir auch. Du warst der Typ in Sarahs Bett.«

Dengler hob beide Hände. »Es ist nichts passiert, weshalb du eifersüchtig sein müsstest. Ich wollte dich anlocken. Deine Frau sucht dich. Sie liebt dich. Sie will dich wiederhaben. Und ich habe ihr geholfen, dich zu finden.«

Mit einer kurzen Bewegung der Waffe deutete Singer ins Innere des Stollens.

»Komm aus dem Wasser.«

Dengler stieg vorsichtig aus dem Bach. Rechts und links gab es wieder festen Grund – große Felsbrocken, die wie hingeworfen dalagen. Zwei Seesäcke standen an der Wand. Zwei Paar Stiefel, vier volle Flaschen Rothaus-Bier und unzählige leere Flaschen. Und ein neuer Neoprenanzug.

»Setz dich.«

Mit dem Lauf deutete Singer auf den Boden. Dengler ging in die Hocke.

»Du hast es mit der Schlampe getrieben«, sagte Singer.

Dengler schüttelte den Kopf. »Wir sind immer noch Blutsbrüder.«

In Singers Gesicht spiegelten sich widersprüchliche Empfindungen. Dengler konnte es im Licht der Taschenlampe nur ungenau sehen. Aber sein Gesicht war immer noch schmal und hell, die blonden Haare hingen feucht herunter. Sein Blick war verschlossen, die blauen Augen dunkel und müde. Hätte er Singer unter anderen Umständen getroffen, hätte er ihn für einen attraktiven Mann gehalten.

»Meinetwegen.«

Dann setzte auch er sich auf den Boden.

Es war still, feucht und kalt.

Jedes Wort ein Herantasten.

»Erzähl mir«, sagte Dengler, »erzähl mir von Afghanistan. Wie damals. In unserem Versteck. In unserer Höhle.«

»Damals? Wir sind keine Kinder mehr, Georg.«

»Versuch es.«

Als hätte er darauf gewartet, begann er zu erzählen – Bericht für Bericht.

Attacke

Dengler wusste nicht, wie lange er den Erzählungen Singers zugehört hatte. Als dieser geendet hatte, war ihm elend. Aber er wusste, dass er das Thema wechseln, zurückgehen musste an diesen Tag im Schwarzwald, viele Jahre zuvor.

»Etwas muss ich noch wissen, Florian. Etwas, das nur mich betrifft und dich. Erinnerst du dich an den Tag ... den Tag, als ich mit dem Rad allein in die Röhre am Windgfällweiher fuhr? Mit meinem Fahrrad. Und du hast draußen gewartet.«

»Wie sollte ich diesen Tag je vergessen?«

Erst jetzt legte er die Walther beiseite.

Sie schwiegen.

Plötzlich hob Singer die Hand. Er lauschte. Dengler hörte nichts.

Singer stand auf und nahm die Waffe in die Hand.

»Komm.«

Dengler verstand nicht, was Singer wollte.

»Da ist jemand.«

Doch Singer zog bereits seinen Neoprenanzug an. Die Waffe steckte er in einen wasserdichten Beutel. Er winkte Dengler zu und stieg ins Wasser. Auf dem Rücken liegend durchquerten sie den Siphon.

Als sie an der Abraumhalde aus dem Wasser stiegen, sah Dengler rote Punkte an der Wand tanzen.

Bekam er einen Höhlenkoller?

Florian Singer ging sofort hinter einem Felsenbrocken in Deckung. Dengler sah, wie er seine Waffe aus dem Beutel nahm und entsicherte. Das metallische Geräusch wurde in der Höhle tausendfach gebrochen.

Die roten Lichter verschwanden nicht. Dengler sah den Höhlengang hinunter.

Acht Lichter, im Halbkreis aufgestellt, die sich langsam auf sie zubewegten. Kleine rote Laserpunkte.

Zielvorrichtungen. Acht Gewehre zielten auf sie.

Der erste Schuss riss neben ihm einen Felsvorsprung ab. Sofort ging Dengler in Deckung.

»Hast du die Bullen mitgebracht?«

Dengler schüttelte den Kopf.

»Mich bekommen sie nicht lebend«, flüsterte Singer. »Geh du zu ihnen.«

Er hatte die Walther bereits wieder in den Beutel gepackt und lief gebückt zurück zum Siphon.

Dengler hob die Hände und stand auf.

»Auf beide Personen – Feuer frei!«

Dengler sprang zurück, und im gleichen Augenblick schlugen überall um ihn Geschosse in die Felswände.

»Ich bin Georg Dengler. Ehemaliger Polizist.«

Er schrie, so laut er konnte.

Eine zweite Salve schlug ein. Ohrenbetäubend.

Erst jetzt begriff er.

Es sollte keine Zeugen geben.

Singer zog ihn zurück in den Stollen.

***

Als sie auf der anderen Seite des Siphons aus dem eiskalten Wasser kletterten, zog Singer aus dem vordersten Seesack ein Handtuch heraus und reichte es Dengler. Er rubbelte sich die Haare trocken. Singer nahm die Walther aus dem Beutel und lud durch.

»Sie können nur einzeln durch den Stollen«, sagte er. »Da haben sie keine Chance.«

»Sie werden vermutlich Tränengas durch den Siphon leiten.«

Singer schüttelte den Kopf.

»Nein. Die Strömung wird es wieder zurücktreiben. Jedenfalls einen Teil davon.«

»Was ist mit dem zweiten Siphon?«, fragte Dengler.

»Zu lang. Da kommt man ohne Tauchgerät nicht weiter. Ich hab's versucht.«

»Wir sitzen in einer Falle.«

Singer schüttelte den Kopf. »Wir haben hier genügend Verpflegung. Müssen bloß warten.«

Denglers Verstand raste.

Er bat Singer um dessen Handy, doch der winkte ab. »Sinnlos, das Handy hat in der Höhle keinen Empfang.«

Singer machte eine Flasche Bier auf. »Ich hab's ja verdient, dass sie hinter mir her sind, aber was ist mit dir?«

»Was sind das für Waffen, die du im Wagen hast? Um was geht es hier eigentlich? Warum ist das Interesse an dir so groß?«

»Mikrowellen. Mikrowellenwaffen. Ich sage dir, das ist die Zukunft. Du wirst schon sehen …«

»Wenn es so weitergeht, wahrscheinlich nicht.«

Sie schwiegen.

Und warteten.

Nach zwanzig Minuten beruhigte sich Dengler. Wer immer sie töten wollte, wagte sich nicht durch den Siphon. Und eine solche Operation könnte die Gegenseite nur einen begrenzten Zeitraum lang durchführen, sonst würde sie öffentlich. Vielleicht hatten sie schon abgebrochen. Es wurde ihm kalt. Vielleicht kam er nur mit einer Unterkühlung aus der Höhle wieder heraus. Gut, dass er den Neoprenanzug anhatte.

Doch etwas war anders. Er wusste zunächst nicht genau, was es war. Etwas hatte sich geändert. Aber was?

Dann entdeckte er es. Das Wasser stieg. Der Höhlenbach lief nicht mehr vollständig durch den Siphon ab. Das Wasser staute sich in ihrem Zwischenraum. Noch nicht besonders viel, aber es stieg unaufhaltsam.

Singer hatte seinen Blick gesehen und verstand sofort.

Das Wasser hatte nun im Siphon den kleinen Zwischenraum zur Decke ausgefüllt. Sie würden nur tauchend aus der Höhle herauskommen. Dengler sprang auf. Er watete ins Wasser, zog noch einmal tief Luft in seine Lungen und tauchte.

Das andere Ende des Tunnels war verschlossen. Statt des erwarteten Ausgangs lagerten Felsbrocken im Wasser. Kein Durchkommen. Er versuchte einen Felsen zur Seite zu räumen und scheiterte. Als die Luft knapp wurde, tauchte er zurück.

»Diese Schweine! Sie haben die Abraumhalde in den Siphon gekippt und so den Bach gestaut.«

Singer stürzte sich ins Wasser und verschwand. Zwei Minuten später tauchte er wieder auf. Er schüttelte den Kopf, um das kalte Wasser loszuwerden.

»Du hast recht«, sagte er. »Wir sitzen in der Falle. Hier kommen wir nicht mehr raus. Das ist das Ende, mein Freund.«

Und plötzlich weinte er wie ein Kind.

★★★

Dengler wusste nicht, wie lange sie nun schon im Dunkeln saßen. Die Batterien seiner Taschenlampe waren schon lange leer. Sie lagen bis zum Bauch im Wasser. Singer hatte wie ein Irrer versucht, in mehreren Tauchgängen mit bloßen Händen die Steine wegzuräumen. Vergeblich.

Dengler wurde müde.

Irgendwann schlief er ein.

Letzter Bericht: Damals

Dengler wachte auf, als sich neben ihm etwas bewegte. Er glaubte erst, es sei Olga, aber dann fiel ihm ein, wo er war. Sie lagen beide nun oben auf dem höchsten Felsvorsprung der Grotte. Nun gab es keinen Platz mehr, dem Wasser auszuweichen.

Nach einer halben Stunde hatte das Wasser seine Brust erreicht und stieg langsam und unaufhaltsam weiter.

Singer war an seine Seite gerobbt. Georg tastete im Dunkeln nach seinen Schultern und schüttelte ihn.

»Florian«, flüsterte er. »Was war am Windgfällweiher? Warum wolltest du mich ...«

Ein Hustenanfall unterbrach ihn.

»... umbringen?«, flüsterte er.

»Es tut mir so leid«, sagte Singer, und seine Stimme klang heiser. »Ich konnte nicht ...«

»Warum?«

»Es waren ... Es waren zu viele ...«

»Was sagst du?«

»Es waren zu viele.«

Dengler verstand die Antwort nicht, und für einen Augenblick dachte er, Singer würde halluzinieren.

»Zu viele ... was?«

»Jungs. Aus dem Ort. Zwei hielten mich fest. Die anderen schleppten die Latten in den Tunnel, in dem du warst. Ich schrie, aber sie lachten. Ich konnte dir nicht helfen.«

Singer hustete.

»Du warst es nicht, der die Latten in den Tunnel gesteckt hat?«

Singer hatte keine Kraft mehr. Dengler fühlte, wie er kaum merklich den Kopf schüttelte.

Und da überkam ihn plötzlich ein großer Friede. Sein Blutsbruder hatte ihn nicht umbringen, sondern ihm helfen wollen. Das Wasser hatte seinen Mund erreicht. Dengler drückte den Kopf gegen die Felsendecke, aber es gab kein Entkommen.

Er bewegte sich nach rechts. Er bewegte sich nach links. Da war eine kleine Einbuchtung in der Höhlendecke. Er konnte den Kopf noch zwei oder drei Zentimeter aus dem Wasser heben.

»Florian?«

Er griff nach Florians Kopf und wollte ihn zu sich hochziehen. Doch da spürte er, wie sich Florians Arme versteiften. Singer stieß sich mit beiden Händen von der Deckenwand ab und verschwand.

»Florian?«

Wodka mit Melone

Am Nachmittag klopfte Olga an Denglers Tür. Aber sie wartete vergebens auf sein ›Herein‹ oder auf das ebenfalls vertraute ›Willst du einen Espresso‹.

Sie klopfte noch einmal, aber es regte sich nichts. Vorsichtig drückte sie die Türklinke herunter. Verschlossen. Offensichtlich war Georg noch nicht zurück. Nachdenklich ging sie die Treppe hinauf in ihre Wohnung. Sie setzte sich in ihren Sessel und sah zum Fenster hinaus auf die Wagnerstraße.

Es war ein heißer, schwüler Tag. Der Sommer hatte sich in der letzten Woche noch einmal aufgebäumt. Doch bald würden kalte Tage kommen.

Nach ein paar Minuten stand sie auf, ging zu ihrem Telefon im Flur und rief Dengler auf dessen Handy an.

Der Teilnehmer ist zurzeit nicht erreichbar.

Sie brühte sich eine Tasse Tee und setzte sich wieder in ihren Sessel.

Nachdem sie den Tee getrunken hatte, stellte sie die Tassen in die Geschirrspülmaschine in der Küche, ging in den Flur und wählte erneut Denglers Nummer.

Der Teilnehmer ist zurzeit nicht erreichbar.

Sie zuckte mit den Schultern, ging ins Schlafzimmer und nahm das Buch, das sie gerade las, Mascha Kalékos *Die paar leuchtenden Jahre*, und setzte sich erneut in den Sessel. Sie blätterte in den Geschichten und Gedichten, konnte sich aber nicht wirklich darauf konzentrieren, nach zwanzig Minuten schlug sie es zu und wählte erneut Denglers Nummer.

Der Teilnehmer ist zurzeit nicht erreichbar.

Sie packte den Staubsauger aus und säuberte den Teppich im Wohnzimmer. Doch bevor sie die Maschine ins Schlafzimmer zog, nahm sie den Hörer und drückte die Wiederholtaste.

Der Teilnehmer ist zurzeit nicht erreichbar.
Sie ging in die Küche, setzte sich und starrte die Wand an.

★★★

Olga hielt ihre Unruhe nicht mehr aus, stand auf und ging hinunter zu Martin Klein.

»Ich mache mir Sorgen um Georg«, sagte sie und erklärte ihm, dass Dengler in der Falkensteiner Höhle nach dem verschwundenen Soldaten suchen wollte.

»Etwas stimmt nicht«, sagte sie. »Er hat sich noch nicht gemeldet. Vielleicht sorge ich mich umsonst, aber …«

Klein stand wortlos auf.

Wenig später steuerte er ein Stadtmobil in Richtung Schwäbische Alb. Olga saß auf dem Beifahrersitz. Das Stadtmobil, ein Opel Corsa, besaß keine Klimaanlage. Im Wagen war es drückend heiß, und die tief stehende nachmittägliche Augustsonne blendete Martin Klein. Er schaltete das Gebläse auf die höchste Stufe.

Der Weg von der Landstraße zur Höhle war mit rot-weißem Band abgesperrt. Ein Polizist sicherte den Weg.

»Hier können Sie nicht rein. Fahren Sie weiter!«, bellte er sie unfreundlich an, nachdem Klein angehalten und das Fenster heruntergelassen hatte.

»Was ist denn passiert?«, fragte Klein.

»Mann, nun fahren Sie doch einfach weiter!«

Klein wollte protestieren, doch Olga griff ihn am Arm.

»Fahr zurück«, sagte sie. »Und fahr, so schnell zu kannst.«

★★★

Zurück in ihrer Wohnung ließ sie sich mit der Auskunft verbinden. Sie verlangte die Nummer des Bundeskriminalamtes in Wiesbaden.

»Ja, Sie können mich gleich verbinden«, sagte sie.

Sie verlangte Dr. Scheuerle zu sprechen und wurde mit dessen Vorzimmer verbunden.

242

Nein, Dr. Scheuerle sei mehr nicht im Haus, sagte eine Frau und fragte, ob sie ihm etwas ausrichten könne.

Ja, sagte Olga, das könne sie. Sie erwarte ihn morgen früh pünktlich um zehn Uhr in Stuttgart in ihrer Wohnung. Es gehe um den Fall Florian Singer. Und sie habe Scheuerles letzte Aktivitäten auf Video aufgenommen. Vielleicht sei er interessiert. Und sie diktierte der Frau ihre Adresse und ihre Handynummer.

Danach legte sie auf. Ihr Brustkorb hob und senkte sich dabei zweimal, so schwer atmete sie.

***

Olga verließ ihre Wohnung. Zügig marschierte sie die kleine Staffel am Schellenturm hinauf und bog nach links in die Olgastraße, die nach ihrer Namensvetterin, der früheren Gattin des württembergischen Königs, benannt war. An der großen Kreuzung betrat sie den hell erleuchteten Supermarkt, der mit Späteinkäufern noch gut gefüllt war. Zielstrebig ging sie in die Abteilung mit dem Frischobst und legte zwei große reife Wassermelonen in den Einkaufswagen. Aus dem abgelegeneren Regal mit den Spirituosen nahm sie zwei Flaschen Wodka, nachdem sie vorher die Etiketten geprüft und sich überzeugt hatte, dass sie die Flaschen mit dem höchsten Alkoholgehalt ausgewählt hatte. Auch zwei Wäscheleinen aus Kunststoff wanderten in den Einkaufswagen.

Schwülheiß war es auch noch um die späte Uhrzeit im Stuttgarter Kessel. Auf der Olgastraße blieb sie an der Straßenecke neben dem Café *Hüftengold* stehen. Hier hatte die Stuttgarter Drogenhilfe zwei Automaten angebracht. In dem einen konnten Junkies ihre gebrauchten Spritzen entsorgen und aus dem anderen neue ziehen. Olga zog an der Schublade und nahm zwei Spritzen heraus, als ihr Handy klingelte.

Es war Dr. Scheuerle.

Nein, keine weiteren Informationen, sagte Olga. Morgen

früh um Punkt zehn Uhr solle er da sein, wenn er den Film wolle. Dann brach sie das Gespräch ab.

Sie verstaute die Spritzen in der Einkaufstasche und kümmerte sich nicht um die Blicke der Umstehenden. Dann wählte sie noch einmal Denglers Nummer.

Der Teilnehmer ist zurzeit nicht erreichbar.

Sie nahm die Einkaufstüte mit den Melonen, dem Wodka, den Wäscheleinen und den beiden Spritzen und eilte zurück in ihre Wohnung.

In der Küche nahm sie die weichere der beiden Melonen aus der Tüte und legte sie auf den Küchentisch. Dann öffnete sie die erste Flasche Wodka und löste eine der beiden Spritzen aus ihrer Plastikumhüllung. Sorgsam senkte sie die Kanüle in die Flasche und sog den Wodka mit dem Kolben der Spritze ein. Dann stach sie die Nadel tief in das Fruchtfleisch und drückte den Alkohol in die Melone. Erneut zog sie Wodka in die Spritze. Olga wiederholte den Vorgang, bis die Flasche leer war. Sie schraubte die zweite Flasche auf und spritzte auch deren Inhalt in die Frucht. Aus der Schublade ihres Küchenschrankes zog sie nun Alufolie, wickelte die Melone ein und legte sie in den Kühlschrank.

Die Wäscheleinen deponierte sie oben auf dem Küchenschrank.

Olga wartete.

Der Tod

Irgendwann verflogen alle Schmerzen. Er spürte auch die Kälte nicht mehr. Früher, als Kind, hatte er sich vor Schmerzen gefürchtet. Später, als Mann, hatte er sie so gut ertragen wie jeder andere Mann. Nun, da er sterben würde, waren sie belanglos geworden.

Das Wasser hatte seine Unterlippe erreicht. Er drängte mit seinem Kopf weiter in die Ausbuchtung in der Felsendecke. Aber es gab keinen Spielraum mehr.

Der Tod hatte ihn schon erreicht. Er war an Denglers Beinen hochgekrochen. Erst hatte er die Füße nicht mehr gespürt, dann die Knie und schließlich die Schenkel. Dengler konnte beim Einatmen noch seine Brust spüren, aber den Bauch schon nicht mehr.

Auch die Dunkelheit störte ihn nicht mehr. Er war müde. Wieder stieg der Wasserstand um einen Millimeter. Bald war es vorbei.

Und trotzdem, er atmete so wenig als möglich von der kostbaren Luft.

Nun berührte das Wasser sanft seinen linken Mundwinkel. Es war, als würde der Tod anklopfen.

Er dachte an Olga.

Erfrischung

Pünktlich um zehn Uhr klingelte es an Olgas Tür. Sie drückte den Türöffner und ging die Treppe hinunter, ihrem Besuch entgegen.

Olga hatte Scheuerle noch nie gesehen, aber sie erkannte ihn aufgrund Georg Denglers Erzählungen sofort. Ein Mann Mitte fünfzig, schmal, Brille mit teurem Metallgestell, dünnes, zur Seite gescheiteltes, mittelblondes Haar, Aknenarben auf den Wangen, dünne Lippen, herabhängende Mundwinkel, dreiteiliger blauer Anzug. Dahinter drängten sich zwei Polizisten in Zivil ins Treppenhaus. Bodyguards, Sonnenbrillen tragend. Wie im Kino, dachte Olga.

Olga gab die Dame. Sie führte die drei in ihre Wohnung, plauderte über das Wetter, bot ihnen etwas zu trinken an, wies Scheuerle freundlich den Platz auf ihrer Couch an.

»Und Sie, meine Herren, folgen mir«, sagte sie und brachte die beiden Polizisten in die Küche.

Die Melone lag auf einer weißen Porzellanplatte. Die dunkelgrüne Schale glänzte im Sonnenlicht, das durch das Fenster drang.

Die beiden Polizisten setzten sich an den Küchentisch. Sie stellte beiden Männer Gläser und zwei Tassen auf den Tisch und eine Kanne Mineralwasser daneben. Auf ein Tablett stellte sie zwei weitere Gläser und eine andere Karaffe Wasser und brachte es Scheuerle, der sich gerade mit einem Taschentuch die Stirn abwischte.

»Es ist heiß heute, nicht wahr? Gleich gibt es eine herrliche Erfrischung.«

Zurück durch den schmalen Flur in die Küche.

Sie nahm vier Teller aus dem Küchenschrank. Vor den Augen der Polizisten zerschnitt sie die Melone. Sie legte vier gleich große Stücke auf jeden Teller.

In der Nacht waren der Alkohol des Wodkas und der Frucht-
zucker der Melone eine fatale Verbindung eingegangen. Olga
war sich sicher, dass die Männer wegen der Geschmacklosig-
keit des Wodkas nichts davon merken würden. Sie schnitt
zwei große Stücke ab und reichte sie den beiden Polizisten.
»Essen Sie nur tüchtig!«, sagte sie. »Ich habe noch mehr davon. Schneiden Sie sich mehr davon ab, wenn Sie wollen.«
Die beiden anderen Stücke brachte sie zu Scheuerle ins
Wohnzimmer. Auf dem Weg dorthin, im Flur, vertauschte
sie die Melone auf ihrem Teller mit einem Stück unbehan-
delter Melone.
»Ich habe nicht viel Zeit«, knurrte Scheuerle, als sie den
Raum betrat.
»Essen Sie erst mal«, sagte Olga. Dann sah sie ihm zu, wie er
die Melone verschlang.

***

Als sie nach einer Weile in die Küche zurückging, schnitt
gerade einer der beiden Polizisten zwei weitere Stücke aus
der Melone.
»Das ist aber schön, dass es Ihnen schmeckt«, sagte sie und
schnitt für Scheuerle ein weiteres Stück ab.

***

Als sie das nächste Mal in die Küche kam, waren die beiden Polizisten erledigt. Sie hingen auf ihren Stühlen, einer
rutschte langsam auf den Boden. Olga zog ihn wieder auf
den Stuhl. Dann nahm sie den beiden Beamten die Waffen
ab und fesselte sie. Sie ließen es brummelnd und mit glasigen
Augen über sich ergehen.
Dr. Scheuerle schien ein geübterer Trinker zu sein, aber auch
er war bereits reichlich angeschlagen.
Sie stellte sich vor ihn.
»Wo ist Georg Dengler?«, fragte Olga.
Scheuerle hatte Mühe, Olgas Frage zu verstehen.

»Wo ist Georg Dengler?«, wiederholte sie.

Scheuerle starrte sie an.

»Hast mich wegen dem Dengler hergelockt?«

»Ja. Wo ist er?«

Scheuerle machte eine unbestimmte, fahrige Bewegung.

»Vorbei«, lallte er. »Mit dem isses vorbei.«

Dann schien er zu bemerken, dass er zu viel gesagt hatte. Mühsam stand er auf.

»Wir gehen«, rief er in die Küche.

Olga drückte ihn auf einen Stuhl.

»Wir gehen jetzt«, rief er in unklarer Aussprache und versuchte wieder aufzustehen.

Olga hatte keine Probleme, ihm Hände und Füße an den Stuhl zu binden. Sie durchsuchte ihn, aber Scheuerle trug keine Waffe.

»Wo ist Georg Dengler?«

»Mach mich los, du …«

Es folgte ein ordinäres Schimpfwort.

Olga zündete eine Zigarette an.

»Ich bin Nichtraucherin«, sagte sie und hielt die Glut direkt unter die Nase des BKA-Beamten.

Scheuerle warf den Kopf zurück und riss an den Fesseln.

»Überfall«, schrie er. Und dann: »Schneider, Bosmann, sofort hierher.«

Aus der Küche kam keine Antwort.

Olga berührte mit der Glut seine Wange. Scheuerle stieß einen entsetzlichen Schrei aus.

»Wo ist Georg Dengler?«

Scheuerle riss an den Fesseln und schrie nach Schneider und Bosmann.

»Ich tue es nicht gerne«, sagte Olga.

Es zischte schmirgelnd, als Olga die Zigarette in Scheuerles Mundwinkel drückte. Sie hielt ihm den Mund sofort zu, um den tierischen Schrei zu dämpfen, den er ausstieß.

»Wo ist Georg Dengler?«

Die Zigarettenspitze näherte sich erneut seiner Unterlippe. Da redete Scheuerle.

★★★

Kurz danach alarmierte Olga die Leitstelle der Höhlenrettung in Baden-Württemberg, die sofort einen Trupp erfahrener Retter und Taucher zur Falkensteiner Höhle schickte. Sie fanden die angegebene Stelle und brachen den Zugang zu dem hintersten Teil der Höhle auf. Sie bargen eine Leiche und einen Sterbenden.

Epilog

Dengler lag drei Wochen lang auf der Intensivstation des Katharinenhospitals. Zunächst wusste niemand, ob er überleben würde. Es dauerte lang, bis er wiederhergestellt war. Dann brachten ihn die Freunde zurück in seine Wohnung. Erstaunliches war in der Zwischenzeit geschehen. Die Morde unter dem Stuttgarter Marktplatz und unter dem Mannheimer Paradeplatz waren aufgeklärt. Ein traumatisierter Soldat sei der Täter gewesen, so hieß es, der seine Opfer erst nackt angezündet und ihnen dann wieder die Kleider angezogen habe. Auf der Flucht vor der Polizei sei er in eine Höhle geflohen und habe sich dort zusammen mit einer Geisel in die Luft gesprengt. Die Geisel hätte man retten können, allerdings sei auch diese schwer traumatisiert.

Denglers Aussage verschwand irgendwo. Die Kommissare Weber und Joppich bekamen eine Auszeichnung. Sarah Singer zog mit ihren Kindern in die Schweiz.

Die Stuttgarter Bürgerschaft hatte inzwischen 67 000 Unterschriften gegen den Umbau des Bahnhofs gesammelt, weit mehr, als zur Einleitung eines Bürgerbegehrens notwendig waren. Der Oberbürgermeister erklärte jedoch, eine Abstimmung der Bürger sei rechtlich nicht zulässig. Er berief sich auf ein Gutachten, das er selbst in Auftrag gegeben hatte.

Die MensSys AG wurde von einem Korruptionsskandal erschüttert, in dessen Gefolge zahlreiche Manager entlassen wurden.

Denglers Freund Mario zeigte ihm die Zeitung, die über den Skandal berichtete.

»Schau, endlich mal eine Frau im Vorstand eines großen Konzerns«, sagte Mario. »Sieht nicht schlecht aus. Trägt Fliege. Hat offenbar Klasse. Ich sag dir: Die wird in dem Laden mal richtig aufräumen.«

Anhang

Ein Hitzewerfer für den Kriegseinsatz
Amerikanisches Militär stellte neue Mikrowellenkanone vor

Von Michael Weißenborn

Zehn Reporter und zwei Soldaten durften die Wirkung der Mikrowellenkanone am eigenen Leib erfahren. Ein Journalist der Nachrichtenagentur Reuters sprach bei einer Pressevorführung auf der Moody Air Force Base im US-Staat Georgia vergangene Woche von heftigen Schmerzen, die an einen Hitzestoß aus einem heißen Ofen erinnert hätten. Er habe sofort Deckung gesucht. Zwei Soldaten der Luftwaffe hatten über eine große flache Antenne, die auf einen Humvee-Geländewagen montiert war, gebündelte Mikrowellen auf Personen in 500 Metern Entfernung abgefeuert. Jeder, der von den Strahlen der »aktives Abwehrsystem« genannten Waffe getroffen wurde, dachte, die Kleidung würde sich entzünden, und versuchte auszuweichen.

Der Direktor des US-Entwicklungsprogramms für nicht tödliche Waffen, Kirk Hymes, war voll des Lobes für die Erfindung: »Das ist eine der Schlüsseltechnologien der Zukunft.« Nicht tödliche Waffen böten eine dringend benötigte Alternative zur Praxis des US-Militärs, die darin bestehe, vom »Schreien zum Schießen« überzugehen. Nach den Plänen des Pentagons sollen die Waffen im Irak oder in Afghanistan helfen, das Leben von Zivilisten und US-Soldaten zu schützen. Der Hitzewerfer könnte bei der Kontrolle von Menschenmengen, an Checkpoints oder beim Schutz von Häfen eingesetzt werden. Nicht tödliche Waffen passen gut zur neuen Doktrin des US-Heeres über die flexible Bekämpfung von Aufständischen, die der designierte US-Kommandeur im Irak, General David Petraeus, verfasst hat. Demnach soll die Zivilbevölkerung geschützt werden, damit sie für den Neuanfang gewonnen werden kann.

Die neue Mikrowellenkanone, deren Entwicklung in fünf Jahren 60 Millionen Dollar gekostet hat, soll 2010 in Produktion gehen. Ihre Reichweite ist größer als die anderer nicht tödlicher Waffen, wie etwa die Taser-Elektroschockwaffen. Der Rüstungshersteller Raytheon hofft für das potenzielle Milliardengeschäft auch auf Aufträge aus dem Ausland.

Nach Angaben des Pentagons erhitzen die Mikrowellenstrahlen der Waffe die Haut der Getroffenen auf 50 bis 55 Grad Celsius. Die Strahlung von 95 Gigahertz dringe aber nur 0,4 Millimeter tief in die Haut ein, sodass das Risiko bleibender Schäden nicht bestehe. Die Strahlen normaler Mikrowellenherde würden dagegen mehrere Zentimeter tief ins Gewebe eindringen. Kritiker betonen, dass es je nach Dauer der Strahlungen zu Verletzungen kommen könne. Unabhängige Rüstungsexperten warnen auf der Website Globalsecurity.org davor, dass die Netzhaut der Augen geschädigt werden könnte. Zudem könnte die Waffe durch Tricks, etwa das Tragen eines Mülleimerdeckels als Schutzschild, wirkungslos gemacht werden.

Finden und erfinden – ein Nachwort

Wer vom Krieg erzählt, stößt auf die Lüge. Fast jeden Tag wird in den Medien über die Ereignisse in Afghanistan berichtet, aber was wirklich in dem Land am Hindukusch geschieht, weiß kaum jemand. Auch ich bin der Wahrheit in vielen Gesprächen und langwierigen Recherchen nur einen kleinen Schritt nähergekommen.

So viel aber steht fest: Die Mikrowellenwaffe, von der in diesem Buch berichtet wird, ist leider kein Phantasieprodukt. Sie wurde in Testversionen bereits vorgestellt, und vieles spricht dafür, dass sie in Afghanistan eingesetzt wurde. Den ersten Hinweis dazu bekam ich von Dr. Reinhard Munzert, dem ich für diese Information herzlich danke. Näheres findet man auf meiner Homepage.

Tatsache ist auch, dass eine große Zahl der in Afghanistan eingesetzten Soldaten mit schweren psychischen Krankheiten nach Deutschland zurückkommt. Nicht wenige von ihnen sind traumatisiert und finden sich in ihrem deutschen Alltag nicht mehr zurecht. Dabei handelt es sich nicht nur um Einzelschicksale, sondern um ein gesellschaftliches Thema, dessen Folgen unabsehbar sind.

Wegen der absoluten Geheimhaltung, unter der sowohl die militärischen Operationen als auch die Soldaten stehen, war es nahezu unmöglich herauszufinden, was die deutschen Spezialtruppen in Afghanistan tatsächlich tun. Umso mehr bedanke ich mich bei den Informanten, die den Mut hatten, mit mir zu sprechen.

Alle Figuren in diesem Buch sind erfunden. Ähnlichkeiten mit lebenden Personen sind unbeabsichtigt und zufällig – mit einer Ausnahme: Mario betreibt tatsächlich in Stuttgart das Ein-Tisch-Restaurant St. Amour in seinem Wohnzimmer. An kaum einem anderen Ort der Stadt kann man so gut essen wie bei ihm. Interessierte Leser finden seine Telefonnummer auf meiner Homepage.

Die Berichte, die in diesem Buch auftauchen, stammen fast nahezu alle aus Internet-Tagebüchern von Soldaten, die meisten wurden von amerikanischen Soldaten verfasst, bevor das Pentagon solche blogs verboten hat. Nahezu alle beschriebenen Szenen haben sich so oder ähnlich tatsächlich zugetragen. Es gibt mittlerweile eine breite amerikanische Literatur mit (zum Teil erschütternden) Berichten. Bei der Durchsicht und Übersetzung half mir Ursula Sobek, der ich dafür herzlich danke. Eine genaue Literaturliste dazu findet der interessierte Leser auf meiner Homepage.

Das Kapitel »Bericht Kandahar« stützt sich auf »Fünf Jahre meines Lebens« von Murat Kurnaz. Das Kapitel »Siebter Bericht: Mit Absicht« stützt sich auf die empfehlenswerte Arbeit von Christoph R. Hörstel, *Sprengsatz Afghanistan, die Bundeswehr in tödlicher Mission,* die ich indirekt zitiere.

Für Unterstützung beim Finden und Erkunden von Schauplätzen bedanke ich mich bei Sigrid Gairing von der Filmkommission Baden-Württemberg, Frank Däschler vom Liegenschaftsamt der Stadt Stuttgart, der Berufsfeuerwehr Mannheim und Alexander Maier von der Höhlenrettung Baden-Württemberg. Michael Below danke ich für die Führung durch Altglashütten und entlang dem Windgfällweiher.

Über die möglichen Folgen eines Mikrowellenangriffs auf den menschlichen Organismus gab mir Prof. Dr. Walter Bosse vom Katharinenhospital in Stuttgart wertvolle Hinweise.

Die vertrackten Folgen des neuen Chips im Reisepass (und wie man sich dagegen wehren kann) erläuterte mir Rena Tangens von der Bürgerinitiative FoeBuD e. V. & Big Brother Awards Deutschland. Auch dazu weitere Hinweise auf meiner Internetseite.

Rezzo Schlauch danke ich für die Schilderung eines typischen Arbeitsgesprächs im Kanzleramt. Maria Harder gewährte mir Einsicht in die Lobbyarbeit eines internationalen Konzerns. Max Herre verdanke ich die Begegnung mit dem Hip-Hop und die Einladung zu seinem wunderbaren Konzert im Stadion der Stuttgarter Kickers. Hermann Dengel von der Ludwigsburger Kripo unterstützte mich bei Ermittlungsfragen, Monika Plach, Wolfgang Kallert und Heike Schiller bei den Korrekturen.

Mein Dank gilt auch Lutz Dursthoff, Reinhold Joppich, Susanne Beck, Petra Düker und Ulla Brümmer vom Verlag Kiepenheuer & Witsch, meinem unbestechlichen Lektor Nikolaus Wolters und vor allem der himmlischen Petra von Olschowski.

Stuttgart, im Februar 2008